GIONO
SELECTIONS

GIONO

SELECTIONS

Edited by MAXWELL A. SMITH
University of Chattanooga

D. C. HEATH AND COMPANY
Boston

CONTENTS

Preface   vii

Introduction to Giono

    I. *His Life*   ix

    II. *His Work*   x

Un de Baumugnes   1

La Femme du boulanger   55

Le Grand Troupeau   71

Naissance de l'Odyssée   95

Le Chant du monde   113

Noé   135

Le Hussard sur le toit   147

Questions littéraires   189

Vocabulary   199

PREFACE

THOUGH nine of Jean Giono's books have been translated into English and at least seven full-length books on him have appeared in French, he has been represented so far in American textbooks by only two or three short stories from his earlier manner. While Giono's first impact on world attention was as the painter of rustic life in upper Provence and as the rejuvenator of the ancient epic form, his nature is so protean and his vast output so highly diversified that it seemed useful to offer in this reader examples of his various styles in the novel.

First I have chosen the second half of his early novel *Un de Baumugnes*, perhaps the most human and credible of his Trilogy of Pan, a series of three works in which we find picturesque delineation of peasant character, beauty of rustic setting and dramatic intensity of narrative. This is followed by the story of *La Femme du boulanger* found in his semi-autobiographical novel *Jean le bleu*, an episode which has become a classic. From approximately the same period I have chosen the opening pages of *Le Grand Troupeau* because it illustrates Giono's life-long pacifism and because of its moving pathos. Next comes an excerpt, complete in itself, from his earliest novel (in conception, though not in actual appearance), *Naissance de l'Odyssée*. This illustrates both his early fondness for Greek literature and legend, and also his sparkling sense of humor, to be overshadowed for a time by his epic constructions and by his sense of mission as a social reformer, only to reappear in his postwar work. With the next selection from Giono's masterpiece *Le Chant du monde* we find ourselves in the epic period of the middle thirties.

To illustrate the postwar Giono, the short excerpt from the semi-autobiographical *Noé* gives an insight into his war imprisonment and his technique of composition. With the "Chroniques" which constitute his Hussard cycle, Giono's lyricism and optimism have given way to objective realism and restraint. Yet this final selection from *Le Hussard sur le toit* proves that Giono has not lost his mastery for telling a fantastic story, nor for blending with his realistic description a sense of mystery and terror from which humor and serenity of spirit are not wholly absent.

Short excisions have been made in several of these selections: two pages from *Un de Baumugnes* which interrupt the narrative; a few lines from *Le Chant du monde* and from *Le Hussard sur le toit* which refer to characters mentioned elsewhere; and from the latter also, four or five pages of rather difficult description.

Professor Peyre has called Giono probably the most original of French writers between the world wars, a great artist "whose appeal is to all modern men, as is Thomas Hardy's or William Faulkner's, even though the setting and the characters of their books are narrowly localized." Recently the distinguished French critic Robert Kanters wrote in *Le Figaro Littéraire* concerning Giono: "No one contests that he is among the number of our greatest writers, when one counts them, let us say, on the fingers of our two hands." André Malraux would include Giono, along with Montherlant and Bernanos, in his choice for the three best writers of this generation. And finally that authoritative organ of British literary criticism, *The London Times Literary Supplement* (discussing *Le Hussard sur le toit* and *Angélo*) terms Giono "one of the most prolific and vigorous of contemporary novelists . . . a novelist of the greatest power and invention . . . one of the most important novelists in Europe today." In the light of these statements it would seem high time to offer for American students in second-year college or survey courses, or in the third or fourth year of high school, this fairly diversified sampling of Giono as a novelist.

Maxwell A. Smith

Lookout Mountain, Tennessee
March 1965

INTRODUCTION TO GIONO

I. *His Life*

JEAN GIONO was born on March 30, 1895 in the little town of Manosque, Basses-Alpes. While his mother was French, on the paternal side Giono had Italian blood in his veins. His grandfather, a carbonaro and revolutionary in Italy, had fled the police to come to France where he became a partner of the father of Emile Zola in constructing the canal from Marseille to Aix. Both of Giono's parents, for whom he had great filial tenderness and respect, were humble folk, his father a cobbler and his mother a laundress.

Giono early came under the influence of Greek literature in translation and of the Bible, which his father used to read to him. Because of straitened circumstances Giono left the *lycée* in his senior year to take a position in a bank. The loss of his dearest friend during the First World War, and the misery undergone during four years in the trenches, left Giono an ardent pacifist. The meteoric success of his first published novel, *Colline*, acclaimed by André Gide as a masterpiece, followed by that of the other volumes of his Trilogy of Pan, made it possible for Giono to leave his position in the bank and purchase the modest home on the Mont d'Or overlooking the town of Manosque where he still lives tranquilly and happily today. The decade of the thirties saw the appearance of Giono's great epic novels portraying man's struggle with the elements, and later the emergence of Giono as a social crusader against war as well as against the factory system, which he felt tended to debase and enchain free men.

At the outbreak of World War Two, Giono was imprisoned for several months in the fortress of Saint Nicolas in Marseille because of his pacifist activities, but was finally released through the influence of André Gide and of the Queen Mother of Belgium. At the close of the war he was again imprisoned, this time near Digne by a friend who wished to protect him from the Communists who had temporarily taken over control of the territory around Aix and who claimed, falsely, that Giono had been a collaborator. When the situation had become normal again Giono was released from prison without ever coming to trial. Because of Communist pressure among those of the resistance movement, however, Giono along with several other authors was refused permission to publish his works for a time, until the efforts of Gide, Camus and Mauriac succeeded in ending this "witch hunt".

Seldom has any author witnessed so meteoric a change in his fortunes. In 1953 Giono won the million-franc *Prix Monégasque* founded by Prince Rainier of Monaco for the best ensemble of works in the French language. In the following year he was chosen for the vacancy among the ten members of the Goncourt Academy who meet annually to award the famous *Prix Goncourt* for the best novel of the year. Except for occasional travels, to Scotland and to Italy in particular, Giono still devotes himself to writing in his "lighthouse" overlooking Manosque and the valley of the Durance, surrounded by his books, his pipes and little Brazilian cigars, his quill pens, and outside his window the rose bushes he loves.

II. *His Work*

Few writers of our time have been more prolific than Giono. Much of his enormous production will doubtless prove ephemeral, and it is unlikely that his dramas, motion picture scenarios, travelogues, propaganda pamphlets, even most of his short stories and sketches, will be long remembered. His numerous weaknesses as a novelist likewise stem from this very prolixity and proliferation. In many of them one finds great unevenness, resulting in majestic passages worthy of an anthology, alternating with dreary wasteland in which the reader is bogged down. In his earlier period his verbosity at times keeps him from resting until he has almost smothered the reader with synonyms and metaphors. On other occasions his quest for naturalness has led him into artificially simplified dialogue, replete with irregular syntax and repetition. His absorption with natural forces sometimes tended to diminish his human figures until they were scarcely distinguishable from plant or animal creation. Like Balzac, Giono often has difficulty plunging *in medias res*, leaving the reader discouraged by the confusion and tedium of the exposition before he reaches the truly dramatic scenes in which the plot unfolds.

Yet Giono's faults are more than redeemed by virtues which in many cases are only the obverse of the medal. Thus his prolixity is only the price he pays for a verve and intensity, a richness of the creative imagination which few writers have exceeded. For Giono is first of all a great poet in prose. Uniquely open to the physical universe, he has given man a new vision of the reality about him, expressed with a wealth of imagery and symbol which open up new vistas for the reader. Closely akin to this quality in Giono is his ability to transport us into a world of fantasy and mystery which yet seems credible and real.

If Giono has succeeded in adapting to our blasé, sophisticated society the long-forgotten tradition of the primitive epic, he has also shown himself a precursor in the technique of the modern novel. More successfully than any other contemporary French novelist, perhaps, he has practiced the method of Faulkner and the American novel in allowing the reader to participate more fully in the explanation of events and characters as they are set forth in the first person by one or more humble narrators, often overlapping in time. In one respect, however, Giono is far removed from contemporary practice. Recent tendencies in the novel seem to subordinate the story itself to the "stream of consciousness" technique until, as one critic has complained, "the history of fiction is simply the history of the decay of the plot." Other than his poetic spontaneity, the most persistent quality in Giono as a novelist has been his marvelous capacity for telling a story which holds the reader breathless until the end.

And finally Giono the regionalist, like Faulkner, is at the same time a universal writer. Just as the latter's characters are concentrated in a tiny rural county of Mississippi, those of Giono spend their lives in the comparatively wild and primitive valleys and plateaux of upper

Provence and Dauphiné. Yet Giono too is far more than a regional novelist. His themes are universal and timeless — the struggle of man for survival against the great forces of nature, the elemental and eternal instincts of love and friendship, ambition and revenge.

Unlike the despair and frustration of many existentialists with their conviction of the absurdity of human life, the general impression emanating from Giono's pages, even those describing cruelty and pestilence, is one of courage and action rather than of spineless submission to fate. This quality, plus those mentioned above, should assure Giono's best novels a permanent and distinguished rank.

Un de Baumugnes
(1929)

While a humble bank clerk in Manosque, Giono conceived the plan for the three rustic novels constituting his Trilogy of Pan. When in 1928 the first of these, Colline, appeared in an obscure Paris magazine, André Gide announced to the world that a new Vergil in prose had been born in Provence and Colline was already famous before its appearance in book form.

If Colline shows us the cruelty and terror of Pan, Un de Baumugnes, translated into English as Lovers Are Never Losers, is bathed in sunlight and warmth, an idyll of human friendship and selfless devotion. Professor Peyre in his Contemporary French Novel calls it "a masterpiece of its kind, . . . told with consummate art . . . . It is credible throughout, flowing with life." Since the recital is given by a peasant, Giono's style here is even simpler than in Colline, at times full of slang and even some grammatical improprieties which the student will soon recognize. Yet the story-teller Amédée, untutored laborer though he may be, is a man sensitive to natural beauty. The hero Albin, one of Giono's most sympathetic creations, is a native of the little town of Baumugnes high up in the mountains where his Huguenot ancestors had taken refuge and learned to play harmonicas, after their tongues had been cut out to prevent their speaking heresy.

In the first 106 pages of the novel before our excerpt begins, the old farm laborer, Amédée, meets young Albin whose heart had been broken some time before when a dapper city rival, Louis, had seduced the girl

1

he loved and persuaded her to elope with him for what turned out to be a life of prostitution. Overcome by sunstroke, Albin had been unable to determine whether his final meeting with Angèle and effort to dissuade her from leaving had been real or only a dream. Deeply moved by Albin's misery, Amédée sends him to the farm of a friend and promises to bring him news of Angèle. Amédée offers his services to the owner of La Douloire, Angèle's father, a stern and bitter old man with a broken arm in a sling. With his courage and industry Amédée restores the economy of the desolate farm and is confirmed in his suspicions that Angèle is sequestered somewhere on the premises. Obtaining a few days' leave he brings back Albin whom he hides in the neighborhood.

The third novel of the trilogy, Regain *(1930), even more famous in the movie version as* Harvest, *relates the resuscitation of an abandoned village.*

UN DE BAUMUGNES

I

On arriva dans les parages le lendemain matin, vers cinq heures.

Vous comprenez bien qu'il n'était pas question de faire entrer Albin à la Douloire, avec moi, tout plan comme un homme attendu; non, on avait calculé la chose, tout en mar-   5
chant, et voilà ce qu'on avait pensé: je connaissais dans le vallon de Villedieu, sur la pente aubaine et toute au clair, dans comme un pré de thym et de sariette, une cabane de pierre, ronde et pointue comme un pain de sucre. On l'appelait d'ailleurs le «Pain de sucre» ou encore «La Tour de Pierre-le-   10
Brave.» Ça servait de bergerie, parfois. On y monterait.

On y monte.

Ça faisait tout à fait l'affaire.[1] C'était solide, plus vieux que Barabbas, en pierre sèche, noir comme un four, mais ce qu'il fallait exactement pour un homme dans les dispositions de   15
mon gars.

[1] *Ça faisait tout à fait l'affaire.* — That was exactly what we needed.

D'ailleurs, il avait senti ça tout de suite.

On pend les musettes, on arrange la literie, on nettoie le foyer et on flambe, en bienvenue, une grosse branche de pin.

5   L'odeur de la résine et aussi la graisse d'une andouillette qui crachotait sur les braises, ça faisait matin de fête, et puis, le soleil monté vint sur le pas de la porte comme un pigeon doré. Des oiseaux giclaient de tous les buissons.

La belle vie!

— Voyons un peu qu'il dit,[2] Albin, où elle est, cette Douloire?
10   Je lui pointai mon doigt vers cette petite crotte de ferme, encore toute emmaillotée de brouillard.

Il la regarda un long moment et sa narine bougea comme font les chiens qui prennent le pied.[3]

Il dit:

15   — Alors, comme ça, elle est murée là-dedans, à pas respirer de bon air de fleur,[4] à pas sentir le vent dans ses jambes? Elle ne voit donc jamais le soleil sur sa peau? C'est mauvais . . .

Puis, l'andouillette tomba dans la braise et il fallut la retirer en se brûlant les doigts, puis on déjeuna en face du soleil, dans
20   le bon vent.

Je passai cette journée avec lui. Il avait bien le temps d'être seul, d'ici-là que la chose soit au point.[5]

L'après-midi, une fois la brume levée, on commença à voir le pays et la garce de Durance[6] en train de manger les terres.
25   On entendait d'ici le grignotis de ses dents.

[2] *Voyons un peu qu'il dit* — Ungrammatical peasant speech, in which the *qu'il* is superfluous. Correct form would be *Voyons un peu, dit Albin.*

[3] *qui prennent le pied* — who point (hunting term).

[4] *à pas respirer de bon air de fleur* — so that she can't breathe any flower-scented air.

[5] *d'ici-là que la chose soit au point* — before the thing would be ready.

[6] *(la) Durance* — a river which rises high in the mountains near the Italian frontier. It flows down through Provence past Giono's town of Manosque and is prominent in most of his stories.

La Douloire était là; dans le fond de la vallée, on apercevait Marigrate, rouge de ses tuiles neuves, toute ornée, toute pareille à une fille de riche qui va au marché.

Là-bas, il n'y avait plus la poussière des tarares. Les gars étaient partis; on restait plus que nous deux,[7] l'Albin et moi sur cette terre; nous deux à guetter la Douloire et son amande.

— Voilà, qu'il dit: ce qu'il faut, c'est apprendre où elle est et comment elle y vit, et si elle est bien, et si elle ne manque de rien.

Il me vint en mémoire la tasse bleue.

— Elle manque de rien, que j'y fais,[8] c'est sûr.

— Donc, lui parler, si on peut, qu'il faut.

Cette fois, il ajouta:

— Je suis bien décidé à pas rester dans l'ombre des saules. C'est du malheur pour tous que ça ferait.

Vint la nuit et je lui dis:

— Joue un peu de ta musique, comme là-haut, à Peyruis . . .

Il dit:

— Non, avec son air de: «C'est pas la peine . . .» et on mangea l'andouillette.

Il se réveilla une fois. Il demanda:

— Tu dors?

Je dis non; je ne dormais pas.

De penser à tout ce qu'il y avait à faire pour lui donner son Angèle, ça me tenait éveillé.

Il continua:

— Il faudra lui dire que, moi, c'est de longtemps . . . avant l'autre . . . que j'étais sous l'ombre des saules.[9] C'est ça, l'affaire.

Et, le matin levé, je m'en allai.

[7] *on restait plus que nous deux* — only we two were left. (Notice the omission of *ne* which will be common throughout this story, in peasant speech.)
[8] *Elle manque de rien, que j'y fais* — *Elle ne manque de rien, dis-je.*
[9] *Il faudra . . . saules.* — Reference to the early part of this story when Albin fell in love with Angèle before her departure with Louis (*l'autre*).

— Ah, voilà notre homme! fait maman Philomène. Allez,
garçon, prends ton café avec la goutte, pour le retour.

C'est comme ça qu'elle était, cette femme.

Mais, comme je lampais à petites clappées le verre de goutte,
5 en train de sentir son chaud dans mon dos, Clarius entre.

Je vois tout de suite que ça va mal.

— Il a fini le monsieur? qu'il dit sans me regarder.

Je ne savais pas quoi faire. Je suis pas habitué à être bousculé,
moi. Quand ça arrive, ça arrive une fois et pas plus, soit que
10 j'y mette mon poing sur la gueule, soit ... de toute façon, je
fais mon paquet et, bonsoir.[10] C'est pour ça que j'ai pas
l'habitude. Mais ici ...

Je ne réponds pas; je pose le verre.

Il se tourne de mon côté:

15 — Oui, il a fini le monsieur? Parce que, autrement, il faudrait pas se gêner. S'il avait encore besoin de promenade, on
pourrait lui prêter le cheval et lui donner de l'argent de
poche, hé?

— C'est pour moi que vous dites ça, patron?

20 — Non, pour le pape. Alors, toi, tu t'imagines que ça va
durer? On te paie pas pour aller faire la rosse. Et puis, quand
tu as quelque chose à demander, c'est à moi, c'est à moi, tu
entends qu'il faut demander. De patron, il y en a qu'un ici,
c'est moi. On demande pas aux femmes.

25 Maman Philomène était toute coite, petite dans son fichu,
une assiette à la main; l'assiette tremblait. Je dis:

— Ne vous fâchez pas, patron, mais j'ai cru ...

Il marchait à travers la cuisine et tenait son bras en écharpe.

Il vient sur moi:

30 — Tu as cru ... quoi? Dis-le; qu'est-ce que tu as cru,
qu'est-ce qu'on t'a dit, qu'est-ce que tu as cru? Tu as cru que
c'étaient les femmes qui commandaient ici? Ah, tu as cru ça, toi?

[10] *soit que j'y mette ... bonsoir* — whether I smash him in the jaw, whether
... in any case I pack up and leave.

Ah bien, tonnerre de Dieu, je vais te montrer que c'est pas les femmes, c'est moi, moi, le patron: Clarius Barbaroux, pas un autre. Moi, je fais ce que je veux, ce que je veux, tu entends? . . .

J'en étais gonflé de tout ça.

Je sors. Comme je ferme la porte sur moi, j'entends la petite   5
voix tremblante mais têtue de maman Philomène:

— Clarius, je te connais plus; c'est plus ça, toi; tu fais tort à ta raison, tu fais tort à ton bon sens, Clarius!

Cet homme-là, voyez-vous, c'était comme une gale qui le rongeait à des endroits qu'il ne pouvait pas gratter seul. Pen-   10
dant que j'étais à Peyruis, tout le monde avait dû en prendre pour son grade.[11]

Saturnin aussi.

Le pauvre vieux marchait à côté de la charrue, saoul d'aller dans les mottes grasses. Il en avait sa pleine mesure: malgré ça,   15
il tirait quand même le mulet.

La pièce de terre où nous étions se courbait comme un fer de faucille; elle cachait sa pointe là-bas, dans une saulaie. A l'abri des feuillages, je freine l'araire et je dis à Saturnin:

— Repose-toi, mon vieux.   20

La sueur fumait autour du mulet.

Il s'en venait tout le long de Durance un air d'Alpe, franc de lame comme un rasoir.

Mon Saturnin (et ça, je l'ai apprécié tout de suite), mon Saturnin tombe la veste et couvre le mulet.   25

— Si des fois il prenait froid, qu'il dit, comme tout honteux de la chose.

Je reste un moment sans parler, puis je dis:

— Et toi, si tu prenais froid, des fois?

Il a son petit rire en bruit de fagot.   30

[11] *avait dû en prendre pour son grade* — must have received his share (of ill treatment).

— Moi, qu'il dit, si je me pose là, au beau courant d'air, je le veux bien, c'est de mon vouloir, mais la bête, c'est tout niais, sans bras devant le mal. Alors si c'est pas un peu nous qui prenons sa défense, qui ça sera?

5   Et puis après, comme il venait de se trémousser dans un long frisson, il dit encore, peut-être pour que je réponde oui:

— Ce que c'est couillon, un homme![12]

Et ça, ça m'expliqua un peu pourquoi il pouvait rire, à la Douloire, lui seul, de son rire où il n'y avait pas de contente-
10   ment, mais comme un bruit de branches mortes.

Tout bel et bon ce fut pendant six jours, un «cours après» avec la cachette d'Angèle.[13]

Ça avait été entendu, l'Albin et moi, de rechercher l'endroit de la prison, pour ainsi dire; puis une fois ça sous la main, de
15   lui parler la bonne parole et de lui dire qu'il y avait un homme qui l'aimait. Comme c'était facile! Fallait l'Albin avec sa tête à l'envers pour avoir combiné ça. Le plus est que je ne trouvais pas mieux[14] et que, jour après jour, à sonder de l'œil et de l'oreille les murs de la Douloire, sans résultat, à s'imaginer
20   que, pourtant, de pure vérité, il y avait là-dessous Angèle qui étouffait, ça me faisait venir les quatre sueurs à moi-même.[15]

Ça devenait une affaire personnelle.

Quand je mangeais en bas, dans la cuisine, et que le Clarius était un peu tranquille (on était aux beaux jours roux
25   d'automne) je regardais, chaque midi, un petit épi de soleil

---

[12] *Ce que c'est couillon, un homme!* — What an ass a man is!
[13] *Tout bel et bon . . . d'Angèle.* — All well and good, for six days the hiding place of Angèle gave us the "runaround" (slip).
[14] *Le plus est que je ne trouvais pas mieux* — The worst of it was that I couldn't think up anything better.
[15] *ça me faisait venir les quatre sueurs à moi-même* — that kept me in a perpetual sweat.

qui, d'entre les rideaux, s'en venait farauder sur le nickel de
la machine à coudre.

Je me disais: «Qui sait ce qu'elle mange, elle»; et, «elle ne
peut pas jouer des yeux avec ce petit coucou de soleil qui
picore les murs» et «t'as pas bien regardé le petit chambron   5
au fond du couloir; c'est peut-être là.»

Sitôt fini, vous pensez bien, je me coulais dans l'escalier,
à la douce, et j'allais au chambron. Rien!

Si la maman Philomène me donnait le bon café du matin,
j'avais envie de lui dire, d'autant que la tasse de terre bleue   10
n'avait plus l'air de bouger: «Vous lui en portez au moins,
à votre fille, de ce café?»

Et puis, je pensais au niston, ce petit voyou de roupilleur
qui dormait sur sa maman la nuit de l'orage.

Ça, c'était toujours le soir, après le souper. Saturnin rotait,   15
restait un moment tranquille, puis riait sous sa barbe, puis
recommençait le rot, le silence et le rire, comme une horloge.
Clarius mettait son coude sain sur la table, la tête dans sa main
et il restait là à regarder, semblait-il, ses doigts violets sortir
de son pansement et, au vrai, à tâter le mal de son cœur et   20
à le voir de plus en plus malade. La maman tricotait une
énorme chaussette — d'homme — qui était toujours au même
point.

Et moi, je me disais:

— Bande d'andouilles! Est-ce que ça ne serait pas plus brave   25
d'avoir là la fille qui irait d'un côté et de l'autre, peut-etre une
chanson aux dents? Ça serait pas plus brave, toi, la mère,
d'avoir le niston dans ton tablier: un plein tablier de viande
chaude, de rires, de cris, et de pissarotte? Toi, le Clarius, ça
serait plus brave de faire esclaffer le petit en lui sifflant entre   30
les fesses et de te dire: «C'est le petit de ma fille; elle a fait ça,
ma fille; c'est une brave fille» et d'oublier qu'elle l'avait pas
fait seule. Bande d'andouilles!

Quand le Saturnin avait fini de roter, il pouvait plus tenir son rire et il allait dehors finir en plein. Le patron allumait sa bougie et, sans bonsoir, montait se coucher. Moi, ça n'aurait pas été convenable de rester seul avec la maîtresse. Je montais sur les talons de Clarius. Et maman Philomène continuait un moment à tricoter dans la grande cuisine, seule avec le bruit de ses aiguilles. Puis, j'entendais son pas dans l'escalier de bois, la porte de la chambre qui grinçait, se fermait.

Alors, la maison délivrée s'étirait dans l'ombre en faisant craquer ses jointures et, au bout d'un moment, suintait d'un coin que j'aurais voulu connaître le miaulement imperceptible du marmot.

C'était devenu, je vous dis, une affaire personnelle. Ça me faisait mal, à moi . . .

Six jours comme ça, à chercher, et six jours pendant lesquels, à pas de chat, du grenier à la cave, j'avais ouvert toutes les portes et reniflé dans l'ombre de toutes les chambres.

Il m'arrivait de rester là, dans le noir, sans bouger, sans souffler, de longs moments, parce qu'il m'avait semblé entendre . . .

Rien. C'était chaque fois le silence des murs et la petite odeur de moisi qui coulait du crépi humide.

Notamment un après-midi j'eus la maison à moi seul, pour un quart d'heure, maman Philomène étant à la vigne, et le patron, et Saturnin, et moi aussi, mais moi, esquivé sous le prétexte d'un besoin; et je restais tout ce temps devant une porte sans oser l'ouvrir parce que, derrière, tapait comme un petit bruit de langue qui tette.

— C'est elle!

Mais, entrer, comme ça, d'autorité, ça va la tuer, cette petite!

Le restant du jour, je le passai à me répéter: «C'est elle, c'est enfin elle!»

Le soir venu, je prends sur moi de pousser la porte: c'était la resserre à l'huile et, dans une jarre, un gros rat s'était noyé. J'en devenais fou et, comme on est vite injuste, j'accusais Angèle. Je me disais: «Alors elle ne lui chante donc jamais à son petit? Elle ne sait pas que les mères, ça fait du lait et des chansons tout à la fois, pour le manger de la bouche et le manger de la cervelle? Ça sera donc un petit qui ne saura de la vie que les mauvais bruits, les bruits durs? Il n'aura pas sous sa tête ces chansons de la mère qui sont comme des fruits et que moi, tout malheureux que je suis, j'ai encore bien frais, et bien ronds, et bien juteux?»

Six jours comme ça!

Et puis, le sixième, tout marri, je mets dans la poche un bout de lard et du pain et je monte à la tour de Pierre-le-Brave. Censément, j'allais tailler des pieux à vigne, mais je montais vers l'Albin.

Il m'écouta comme je lui disais ce que je vous dis, sans broncher, les yeux fixés sur la Douloire.

Il m'avait demandé le tabac et il fumait sa cigarette sans rien d'autre de vivant que ses joues qui pompaient la fumée et le rond de sa bouche qui la soufflait. Et maintenant, tout passionné de ma recherche, je lui disais mon malheur (c'en était un véritable) et lui, il était à m'écouter sans broncher, comme si ça ne le regardait pas ou comme si j'avais été un arbre; sans importance.

— Allons, compagnon, qu'il dit enfin, je vois, je vois. Il faudra que ce soit moi qui parle.

Je le regardai tout ébahi.

— T'as pas entendu, donc, garçon? C'est bien la peine! Puisque je te dis qu'elle est comme morte et enterrée et sans qu'on sache où. Puisque je te dis qu'elle est effacée de dessus la terre comme si elle n'avait jamais été.

Il demanda:

— S'agit de savoir, toi, si tu crois qu'elle est encore à la

Douloire ou bien, des fois, si tu crois qu'ils l'ont fait partir pour ailleurs?

Ça ne m'était jamais venu à l'idée seulement.

— Non, elle est là, j'en mettrais la tête à couper.[16] Elle est
5 dans ces murs-là, ça se sent, ça se voit à leur figure, ça se voit dans les yeux de la maman Philomène. Elle est là.

— Alors (il y avait dans sa voix un petit peu de joie comme une clochette) alors, je te dis, compagnon, il faut que ça soit moi qui lui parle.

10 Il mit la main à la poche.

— Parce que, tu ne sais pas mais tu vas savoir.

Il avait tiré de sa poche deux choses de fer qui tintaient dans sa main.

— Voilà: celle-là, c'est pour l'amusette.

15 Il dressa en face de mes yeux une de ces musiques à bouche qu'on achète dans les foires: du fer et du bois.

— C'est pour l'amusette et pour le calmant du cœur et ça suffit quand je me joue pour moi, parce que je sais déjà, et que ça tombe sur un morceau de mon cœur qui est sensible
20 comme un œil malade. L'autre, c'est pour le sérieux et pour la guérison de l'homme.

Il tenait dans l'allongement de ses doigts une chose qui était un peu pareille à une règle de fer courte et épaisse. A mieux regarder c'était percé de trous comme un nid de guêpes,
25 et, sur le bord de ces trous, c'était plus luisant que de l'argent.

— . . . pour la guérison de l'homme et de la femme, et des filles de la terre.

Pour la guérison de tous ceux qui sont de la terre, ceux qui ont de l'herbe dans le sang, de grandes poitrines en prairies
30 et en vergers, des bras comme la branche des chênes, la peau comme de l'écorce d'arbre, et le chatouillis du vent dessus.

Compagnon, celui qui a têté le lait de la terre, celui-là, même s'il n'a sucé qu'une goutte, même s'il a senti seulement

---

[16] *j'en mettrais la tête à couper* — I'd stake my life on it.

ce lait sur ses lèvres et puis, après, il l'a craché, celui-là, je te
le dis, je viens et je le guéris.

Je regardais le nid de guêpes.

— Qu'est-ce que c'est, ça?

— C'est du vieux fer; cet endroit qui luit, tu vois, sur les 5
trous, c'est un endroit où le vieux fer bien dur a été usé par la
peau de la bouche.

Et, ça s'est usé parce que, en même temps qu'avec sa
bouche, l'homme frottait là-dessus avec son cœur, bien plus
dur que le vieux fer.   10

C'est la «monica de Baumugnes,» la monica du brûleur
de loups qui a été le père du grand-père de mon grand-père.
Celle que je t'ai montrée en premier, celle qui est de bois et
de fer mou, c'est la monica des jeunes d'à présent, la monica
des foires.   15

Tandis que celle-là!

Ah! si tu jouais avec elle à la foire, on te dirait: «T'as pas
fini de nous emmerder?»

Seulement, voilà: le lendemain, les marchands sont partis;
il n'y a plus que la paille des déballages; des pommes d'amour 20
qu'on a jetées parce qu'elles sont pourries.

Alors, le vin est bu, et, le vin bu, tu le sais, c'est amer.

Alors, les soucis sont là et, tu le sais, les soucis, c'est amer
aussi.

Alors, tout ce qui est amer t'a attendu, et c'est là, en travers 25
de ton chemin.

Et la monica de fer-blanc, c'est cataplasme sur jambe
de bois.[17]

Alors compagnon, l'autre, l'ancienne, la née du malheur
s'avance, et, c'est fini!   30

Franchement, lui qui parlait de se saouler, il était comme
saoul.

---

[17] *c'est cataplasme sur jambe de bois* — it's like a poultice on a wooden leg,
that is, useless.

Il criait ça tout fort, dans la colline où il n'y avait personne
— heureusement — que nous deux et la nuit venue.

Je regardais le vieil harmonica.

Il était là, lourd et dur, dans la main d'Albin.

5   Je ne sais pas combien de temps je suis resté à regarder le
vieux fer troué peser dans la paume d'Albin, je ne sais pas;
je ne sais pas non plus si ce fut un effet de la voix que je venais
d'entendre ou de cette nuit parfumée et un peu froide et qui
nous léchait de sa langue râpeuse comme une mère chatte;
10 je ne sais pas . . .

Mais, je peux vous dire: là, j'ai vu, tout clair, que nous
avions déjà Angèle dans la main.

II

Il m'avait dit: «Maintenant, la nuit est mûre vers les huit
heures du soir» et je lui avais répondu: «Oui, mais il y a
15 encore un peu de lune.»

Il avait dit aussi: «Je passerai par cette barrière de cyprès,
là, puis le long du ruisseau.»

Et ce chemin devait le mener en tête du pré, derrière la
maison.

20 Il était neuf heures. J'étais à la fenêtre de ma chambre à
regarder les cyprès et le champ d'herbe sous la jeune lune.

Il y en avait juste un peu de lune et c'était pendu sous le
ciel comme une poussière, à croire que tout le troupeau des
étoiles piétinait dans du sable blanc.

25 A l'habitude, Clarius était couché et maman Philomène
aussi et ça faisait déjà un moment qu'ils étaient couchés parce
que j'entendais ronfler dans leur chambre. Pour moi, j'avais
éteint ma chandelle, et, dans le noir, j'avais doucement ouvert
la fenêtre et je m'étais accoudé au bord de la nuit.

30 J'étais tout habillé, sauf les souliers, parce que c'était plus
commode de marcher pieds nus pour aller écouter le sommeil
du patron; mais j'avais mis les souliers à côté de moi, sur une

chaise, prêts à être enfilés au cas où il aurait fallu descendre
pour aider l'Albin.

C'était vraiment une belle nuit; on entendait ronronner
la Durance.

En face de moi, au commencement du pré, il y avait ce   5
qu'on appelait la glacière et qui était, à proprement dire, un
silo, un vieux silo. Ça avait l'aspect d'un petit mamelon rond,
couvert d'herbes, mais il y avait dans le flanc une porte. Dans
les premiers temps, j'avais regardé dedans; c'était propre et
bien sec, tout dallé, tout tapissé de grosses pierres carrées,   10
bien franches; un peu tiède quand l'air était vif et sacrément
froid en plein août. Ça devait être fameux pour garder le grain.
Depuis je ne sais pas pourquoi on avait fermé la porte.

Je regardais cette glacière quand j'ai vu l'Albin venir. Oh,
ça se voyait à peine, mais, vous savez, quand on attend et   15
qu'on est prévenu, la moindre des choses vous guide. Le patron
ronflait toujours. Devant la porte du silo, il y avait un figuier
au tronc courbé comme un banc.

C'est là qu'il a dû s'asseoir et il se peut que la chose n'ait
commencé que longtemps après; il est peut-être resté quelque   20
temps muet, à regarder cette Douloire en pierre, la robe de
sa bonne amie; la robe et le corsage, et si lourd que la bonne
amie étouffait dessous. Et, même, à y réfléchir, ça a dû être
comme ça; il a dû arriver là, en face de la ferme et s'asseoir sur
le tronc courbé du figuier, et moi je l'avais perdu dans le   25
feuillage de l'arbre et aussi dans le feuillage de la pensée
parce que, la nuit, c'est toujours un peu câlin; et puis, d'un
coup, j'ai reçu la chose en travers de la figure.

Ah, je dis bien: en travers de la figure, parce que ça m'a fait
l'effet d'un coup de pierre.   30

Il appelait ça parler à Angèle!

Certes, d'un côté, ça pouvait s'appeler comme ça, mais, au
lieu de mots, c'étaient les choses elles-mêmes qu'il vous
jetait dessus.

D'abord, ce fut comme un grand morceau de pays forestier arraché tout vivant, avec la terre, toute la chevelure des racines de sapins, les mousses, l'odeur des écorces; une longue source blanche s'en égouttait au passage comme une queue
5 de comète. Ça vient sur moi, ça me couvre de couleur, de fleurance et de bruits et ça fond dans la nuit sur ma droite.

Y avait de quoi vous couper l'haleine![1]

Alors, j'entends quelque chose comme vous diriez le vent de la montagne ou, plutôt, la voix de la montagne, le vol
10 des perdrix, l'appel du berger et le ronflement des hautes herbes des pâtures qui se baissent et se relèvent toutes ensemble, sous le vent.

Après, c'est comme un calme, le bruit d'un pas sur un chemin: et pan, et pan; un pas long et lent qui monte et chante
15 sur des pierres, et, le long de ce pas, des mouvements de haie et des clochettes qui viennent comme à sa rencontre.

Ça s'anime, ça se resserre, ça fuse en gerbes d'odeur et de son, et ça s'épanouit: abois de chien, porte qui claque, foule qui court, porc, gros canard qui patouille la boue avec sa
20 main jaune. Tout un village passe dans la nuit. J'ai le temps d'entendre un seau qui tinte sur le parquet, une poulie, un char, une femme qui appelle; j'ai le temps de voir une petite fille comme une pomme, une femme les mains aux hanches, un homme blond, et ça s'efface.
25 Tout ça, c'était pur!

Là, il faut que je m'arrête et que je vous dise bien, parce que c'est ça qui faisait la force de toute la musique, combien on avait entassé de choses pures là-dedans.

Ce qui frappait, ce qui ravissait la volonté de bouger bras
30 et jambes, et qui gonflait votre respiration, c'était la pureté.

C'était une eau pure et froide et que le gosier ne s'arrêtait pas de vouloir et d'avaler; on en était tout tremblant; on était

---

[1] *Y avait de quoi vous couper l'haleine!* —That was enough to take your breath away!

à la fois dans une fleur et on avait une fleur dans soi, comme une abeille saoule qui se roule au fond d'une fleur.

Le plus fort, c'est que c'était dit avec nos mots et de notre manière à nous.

Moi, vous savez, c'est pas pour dire,[2] mais j'ai entendu déjà pas mal de musique et même, une fois, la musique des tramways qui est venue donner un concert à Peyruis pour la fête. J'avais payé une chaise trente sous; c'est vrai qu'avec ça j'avais droit à un café. Y avait, pas loin de moi, la femme du notaire et la nièce du greffier; et tout le temps, ç'a été des: «oh, ça, que c'est beau!», «oh, ma chère, cette fantaisie de clarinette!» Moi, j'écoutais un petit bruit dans les platanes, très curieux et que je trouvais doux: c'était une feuille sèche qui tremblait au milieu du vent.

La grosse caisse en mettait à tours de bras.[3] Alors, je suis parti sans profiter de ma chaise et de mon café pour mieux entendre ce qu'elle disait, cette feuille.

Ça vient de ce qu'on n'a pas d'instruction; que voulez-vous qu'on y fasse?[4] Cette feuille-là, elle me disait plus à moi que tous les autres en train de faire les acrobates autour d'une clarinette.

C'est comme ça.

Eh bien, la musique d'Albin, elle était cette musique de feuilles de platane, et ça vous enlevait le cœur.

Savez-vous ce que je peux vous dire encore pour vous faire comprendre comment du mitan de la nuit étaient nées, vivantes, ces images? Eh bien, voilà: je ne sais pas si ça vous est jamais arrivé, mais, pour moi, chaque fois, ça me produit le même effet: c'était comme quand on apporte dans une chambre une corbeille de champignons.

Rien que l'odeur, d'un coup, ça renverse les murs et je suis

[2] *c'est pas pour dire* — I don't want to brag.
[3] *en mettait à tours de bras* — went at it hot and heavy (*or* with all its might).
[4] *que voulez-vous qu'on y fasse?* — how can that be helped?

dans la forêt avec la pluie dans les feuilles; j'entends la pluie, je vois les arbres; j'étendrais la main, sûr, je toucherais le corps d'un chêne. Eh bien ça, c'était pareil.

Il avait trouvé ça, cet homme!

5   J'allai pieds nus jusqu'à la porte; j'écoutai dans le couloir. Le ronflement de Clarius s'était arrêté et, comme j'étais là à respirer vite, dans ma peur de voir arriver le patron avec sa chandelle, la musique tomba.

Un long moment avec rien que le silence.

10   Doucement, dans les régions de la nuit où venait de danser la force lumineuse d'Albin, une masse sombre monta: c'était la Douloire qui regroupait ses murs, qui recollait son grand corps mauvais aux murs de prison et, quand je revins vers la fenêtre, elle était revenue tout entière dure, immobile.

15   C'était la Douloire.

Albin n'était plus assis sur la branche courbe du figuier.

Au café, maman Philomène tourne vers moi son vieux visage:

— C'est toi qui jouais cette nuit? dit-elle.

Si elle me l'avait demandé d'autre façon, je ne sais pas ce

20 que j'aurais répondu, mais, là, c'est elle qui me dictait la réponse.

— Oui, je dis.

— De quoi?

— De l'harmonica!

25   — On dirait pas. C'est donc l'harmonica qui fait ce son?

— Bien sûr.

— Ce son qui ronfle? Ce son qui pleure? Aussi celui qui semble le gémir des innocents et l'autre qu'on dirait le chœur de l'église?

30   — Bien sûr.

— Ce doit être bien difficile!

J'étais embêté. Moi, au fond, j'aime pas me vanter, mais, là, je ne pouvais pas aller contre, fallait durer.

35   —Oh, non, je dis, on souffle, et puis, et puis . . . voilà.

Elle reste un moment à me regarder et sa lèvre fait deux
ou trois fois le mouvement de parler; elle ne dit rien et puis,
enfin, elle se décide, mais ça n'a pas l'air d'être bien exactement le fond de sa pensée.

— C'est que tu dois avoir le cœur bon et blanc.   5

Je vous répète: ce n'était pas exactement le fond de sa
pensée; c'était venu comme ça, sur sa lèvre, mais elle pensait
encore autre chose en surplus; ça se voyait.

A midi, le Clarius pousse son assiette et fait le monologue.
Moi, bouche cousue; c'était pas la peine de l'énerver.   10

— Il paraît que c'est toi qui musiquais?

— ...

— Manquait plus que ça.[5]

— ...

— Pour une fois ça passe, mais, si tu travaillais le jour tu   15
penserais moins à nous corner au moment de dormir.

C'est pas un bastringue ici, tu entends?

— ...

— ... et puis, ce que tu joues, ça fait mal.

Saturnin, aux premiers mots, avait arrêté sa cuiller; moi,   20
j'allais comme si rien n'était. Le Clarius commence à manger,
le Saturnin s'y remet aussi et je remarquais qu'il ne riait pas
autant que les autres jours; à peine deux ou trois esclaffades
dans la serviette. A la sortie, il me hèle.

— Hé, là, où tu vas, l'artiste?   25

— Tu le sais bien.

C'était seulement pour m'arrêter. Il s'approche et, après
un regard autour pour nous voir seuls:

— Où tu as appris à jouer comme ça? qu'il demande.

Sacré garçon!   30

Fils de ... fils de ... j'allais dire: fils de pute, mais, dans

[5] *Manquait plus que ça.* — That was the last straw.

mon genre c'est censément un éloge que je voulais dire; ainsi,
il avait touché de main sûre la Douloire tout entière.

Non pas seulement moi qui le guettais par le fénestron,
mais aussi, et de jet aussi juste, ceux du dedans des murs,
ceux sans yeux, ceux que la chose avait tirés de leur sommeil
pour les lancer dans le grand méli-mélo de leurs souvenances.

Et la Douloire accusait le coup.[6]

C'était bon signe et c'était mauvais signe: selon.

Ça ne disait rien où on puisse se guider pour la suite. Ça
avait touché, sûr et certain, et voilà tout.

Après ça, tous les trois, ce fut comme si on leur avait coupé
la langue.

Le train-train ordinaire de la Douloire, avec ses bruits de
poules, mais, de voix d'homme . . . pas.

Ils allaient, ils venaient, sans rien dire. Ils avaient à côté
d'eux un compagnon qui parlait, lui, mais rien que pour
eux, en leur particulier.

La maman donna à manger aux pigeons sans appeler: petits,
petits; elle jetait les graines comme ça, de loin, d'ailleurs.

Savoir s'il retournerait? . . .[7]

A tout hasard, l'heure venue, je me plante pieds nus devant
la fenêtre.

Cette nuit-là, il y avait dehors une petite pluie de peu: donc,
de l'encre, et les feuilles faisaient du bruit comme une robe
de faille.

C'est pour ça que je ne le vis pas venir et c'est pour ça que
je ne distinguai pas le moment juste où sa musique commença;
mais, tout d'un coup, elle sauta hors de la pluie et je sus qu'il
était là.

Vous dire, c'est difficile, je ne peux pas. Ce sont des choses
que, quand j'y pense, je suis là pour me bousculer comme un

---

[6] *Et la Douloire accusait le coup.* — And the Douloire showed or acknowl-
edged that the blow had hit home.

[7] *Savoir s'il retournerait?* — Would he be coming again?

bègue: «Eh, si tu ne peux pas le parler, siffle-le.» Il faudrait
les siffler et les danser, peut-être aussi parce que, en les dansant, on pourrait faire les gestes de la petite maman, delindelon
à son marmot et des seins qui pissent le lait, et tout: les beaux
bras ronds des femmes, les lèvres qui s'appointent, et tout, et   5
tout, enfin, toujours plus beau!

Ce matin qui suit, maman Philomène vient droit sur moi.
Elle met à mon épaule sa main sèche. Elle se dresse là, contre
moi: elle lève ses yeux parce que je suis plus grand qu'elle et
elle dit: 10

— Tu es donc sorcier, garçon?

A ce moment-là, elle me regarde en plein dans les yeux. Elle
doit voir que je cherche pour comprendre.

— Ah! je suis folle, qu'elle souffle le long de moi, et sa parole
s'écrase toute chaude sur ma figure! Je suis folle! Je t'ai écouté   15
cette nuit et tu m'as dit des choses que je pense et que je n'ose
pas dire, moi! Elles étaient dans ta musique, c'était là, dans
l'air, sorti de toi, mais comme sorti de moi aussi. Je pensais:
«Enfin, les oreilles qui doivent entendre ça vont entendre!»

Et j'étais là comme si j'allais faire un enfant. Je mordais le   20
drap pour ne pas gémir. Je voulais que l'homme entende, je
voulais qu'il sache, je voulais qu'il comprenne . . . Il était là,
à côté de moi, comme une pierre.

Et puis, d'un coup, il n'a pas pu retenir un grand soupir
qui l'a rendu tout vivant; la chose était entrée en lui: il a su!   25

Il a compris ce qui me gonflait le cœur depuis si longtemps
que ça traînait ma mort avec!

Je suis soulagée!

Je ne sais plus ce que je lui ai répondu. J'ai dû bredouiller,
et faire non, et faire oui, tout effrayé que j'étais cette fois de   30
la force de Baumugnes.[8]

[8] *de la force de Baumugnes* — The reference of course is to the power of the
music played by Albin who comes from the mountain village of Baumugnes.

C'est pour ça qu'après, en finissant de herser le champ prêt
aux semailles, je reste le temps de dix tours sans piper, tout à
ma réflexion, et Saturnin marche à côté de moi. Tout d'un
coup, je m'aperçois que, de ce temps-là, il est resté sans glousser
5   son rire de poule.

— Ça t'a passé, le rire?

— Plus envie.[9]

Ça, dans la matinée.

En allant à la soupe, on entendait gueuler le Clarius d'une
10 heure loin.[10] Dès qu'il m'aperçoit, il est sur moi, et alors, je
peux voir ce que c'est qu'un homme fou.

Il a fait:

— Toi, écoute bien: tel que je suis là, vivant, si tu joues
encore une fois de ta saloperie, je me lève, je te fous un coup
15 de fusil dans la tête.[11] Et voilà!

Il m'a lâché. Il s'en va à reculons, sans me quitter des yeux:

— Tu entends? Si je ne le fais, que je tombe mort!

Voilà. Faites-vous gras![12]

A l'heure d'Albin, j'étais encore devant la fenêtre, mais tout
20 équipé cette fois, les souliers aux pieds, la musette en bandoulière. J'avais mesuré la hauteur du mur, je savais que je pouvais
sauter, et j'attendais.

Dehors, c'était noir, épais à couper au couteau, mais il ne
pleuvait pas et, en m'habituant à la nuit, je pouvais voir le
25 ventre blanc du tronc du figuier. C'est ça que je guettais parce
que c'était le seul endroit possible. De temps en temps, je
lâchais de l'œil cette tache blanche, puis je la retrouvais
encore et je savais alors qu'il n'y avait personne d'assis.

On entendait un vent haut qui voyageait de nuit dans la

---

[9] *Plus envie.* — Don't feel like it any more.
[10] *d'une heure loin* — an hour's journey away.
[11] *je te fous un coup de fusil dans la tête* — I'll shoot you in the head.
[12] *Faites-vous gras!* — Now you're sitting pretty!

direction de l'Afrique. Sur la terre, c'était tout calme, sauf
un petit bruit léger, pareil à un bourdon d'abeille.

Tout en guettant le blanc de la branche, je me disais:
«Qu'est-ce que c'est, mais qu'est-ce que c'est ça?»

Une ou deux fois déjà, ça avait pris l'allure d'une chanson   5
quand, d'un coup, j'entendis tout un morceau, bien clair,
grâce à un plongeon de vent, et c'était la chanson de la Fanfarnette[13] à pas douter, la Fanfarnette qu'on bourdonne aux
enfants pour les endormir.

C'était ça, et c'était chanté par une femme. Ça je vous jure,   10
et ça disait beaucoup, ce petit zonzon au fond de la nuit.

Ça disait que la Douloire était touchée au bon endroit.

Et, tout d'un coup, je cherche la tache blanche. Plus de
tache blanche. La chanson casse.

Alors, doucement, je me tire vers la fenêtre, j'assure mes   15
musettes, j'attrape à pleins poignets la barre et . . . je reste là
à attendre les premières notes de la «monica.» J'étais prêt à
foutre le camp en vitesse. J'avais pas envie d'être fusillé.

Rien, plus rien, le bruit du vent haut.

Pourtant, il y avait quelqu'un assis sur la branche du figuier, 20
ça ne faisait pas de doute.

Un long moment où j'entends battre le sang dans mes poignets, puis, la tache blanche reparaît; on marche dans l'herbe
du pré, puis le bourdon de la Fanfarnette monte . . .

Ça semblait une odeur de rose!   25

Donc, cette nuit-là, l'Albin était venu sans jouer.

Ç'avait été une rude chance mais trop hasardeuse pour être
bonne deux nuits. Sitôt levé, je cours au fond de la vigne et,
de là, en deux sauts, je suis à la colline et je monte à Pierre-le-
Brave.   30

Il dormait.

Je le réveille; il me voit sans faire l'étonné.

---

[13] *la Fanfarnette* — a word invented by Giono.

— Hé, qu'il dit, tu as compris?

— Compris quoi?

Il se reprend:

— Rien, dis, toi le premier.

5   — Eh bien, voilà ... et je lui explique les deux nuits de
musique vues de mon côté et les deux jours après vus de la
Douloire pendant qu'il était ici, lui, à se reposer sur son lit de
thym sec, et ma troisième, passée cramponné à la fenêtre, avec
l'espoir de se dire: «Va falloir sauter.»

10   — Garçon, cette fois, j'ai bien peur qu'on soit obligé de
plier bagages.

Ce qui m'étonnait, c'est qu'il ne cessait pas de sourire,
mais, des fois, avec ces gens qui ont une idée fixe, il faut
répéter les choses sur deux tons.

15   — ... oui, plier bagages et filer; c'est fini.

— Tu as raison, qu'il dit, oui, c'est fini, on va plier bagages
et filer, tous les quatre.

III

— ... que tu dis, je demande, et, où tu les trouves ces quatre?

Alors, lui au lieu d'expliquer, il dit, avec un rire nouveau:

20   — Donne-moi du tabac, que je fume.

Ça me pressait de savoir, au fond je me demandais quoi.

— Eh bien, voilà: ces quatre-là ce sera, si tu le veux bien,
compagnon, toi en premier. Honneur aux vieux! et puis moi,
puisque je te suis toujours comme le lundi le dimanche; et
25   puis, les deux autres, bon Dieu, ça sera (ça entre nous et si tu
le veux bien) eh bien ça sera — je vois que tu bous en dedans
comme une lessive: ça sera Angèle et monsieur Pancrace qui
va sur ses dix mois. Voilà.

J'étais capot et sans atout.[1]

30   — Tu ne veux pas dire que ...

---

[1] *J'étais capot et sans atout.* — I was so flabbergasted I didn't know what
to say.

— Je ne veux pas dire, mon vieux, je dis, et je le dis parce que c'est.

Il était redevenu le sérieux homme de près des neiges,[2] mais deux fleurs aux yeux.

— Compagnon, nous sommes au bout. Tu as parlé juste à point tout à l'heure, il faut plier bagages; on va le faire et on s'en ira tout de suite après, tous les quatre, les quatre que je te dis là. C'est prêt, c'est entendu, et c'est pour cette nuit.

J'avais pris un peu d'haleine, et puis, ça me semblait encore trop beau.

— Comme ça, là?

— Comme ça.

J'en avais assez, à la fin, de faire la souris avec le chat,[3] d'autant que ça paraissait sérieux comme une messe. J'avalai ma vergogne et je demandai la raison de tout ça avec toute l'explication au long du pourquoi de la chose.

Il dit:

— Tu vas savoir que ça s'est fait la seconde nuit au moment où j'ai serré la monica dans ma poche, dans l'instant même où tu as fermé doucement tes volets.

Ça avait fait un petit bruit de bois cogné et, tout de suite, je n'ai pas saisi que ce n'était pas le même bruit qui suivait; ça ressemblait, mais, à la fin, j'ai compris qu'on ne met pas si longtemps à barrer sa fenêtre. J'étais toujours assis sur le figuier; ça venait de ma gauche, du côté de la glacière et à la hauteur de ma poitrine.

Je me tire un peu dans ce sens; j'étends le bras et je touche une porte: une porte de bois; et, à l'endroit juste où je touche, je sens que, de l'autre côté de ce bois épais il y avait quelqu'un qui frappait de petits coups.

Je te raconte tout bref les choses. Il n'est pas besoin que je te dise aussi ce que ça faisait dans moi, tu le sais.

[2] *de près des neiges* — Baumugnes was high up in the mountain snows.
[3] *de faire la souris avec le chat* — from playing at cat and mouse.

Je me lève et je vais là, contre, à toucher ce bois avec toute ma viande et je sens qu'on frappe avec le poing de l'autre côté et, sur tout moi, j'entends passer le petit tremblement du bois.

5 Du moment, j'ai tout su. J'ai approché ma bouche de la serrure et là, dans le fer froid, j'ai glissé ma voix:

— Qui est là, qui frappe?

On m'a dit:

— Moi.

10 Puis:

— La fille de la ferme, Angèle.

Et, deux fois, elle a répété: je suis enfermée, je suis enfermée.

Je me suis redressé, j'ai pris une grande goulée d'air de nuit parce que, ces choses de dedans la poitrine, c'était trop turbu-

15 lent; puis, je me suis baissé encore sur la serrure et tout de suite je lui ai dit:

— C'est vous? Ah, je vous ai trouvée! C'est pour vous que je viens!

Et alors, elle m'a dit:

20 — Je le sais.

Et encore:

— Je vous connais.

Ces mots-là, les derniers, ils sont venus tout chauds dans ma bouche qui était restée collée à la serrure. Tout chauds!

25 Elle avait aussi collé sa bouche de l'autre côté du trou et les mots étaient passés de sa bouche dans la mienne sans se rafraîchir à l'air.

Comme ça, tout d'un coup, j'ai eu l'odeur de sa bouche dans ma bouche. Et voilà: il y avait à peine cinq minutes que je

30 l'avais trouvée, elle, et c'était déjà une caresse!

J'en ai pleuré. Elles étaient bonnes à couler, mes larmes!

Il s'arrêta pour se râcler la gorge et me redemander du tabac.

— Mais, je lui dis: Qu'est-ce que ça signifiait ces mots-là, justement? Elle le savait comment? Elle te connaissait comment?

Sa cigarette était roulée; il l'alluma; puis, il se mit à sourire avec de la neige sous sa moustache à ne plus savoir si[4] ce sourire venait du bon goût du tabac ou des arrière-pays de ma question.

— Ah, voilà: ici, à ce moment de l'histoire, compagnon, il semble qu'on est des bonshommes de la crèche[5] dans un pays où il y a des ruisseaux en papier de chocolat. C'est un miracle.

Tu te souviens du rêve que j'ai fait cette fois où, de désespoir, j'avais rempli ma tête de soleil, à en mourir?[6] Tu te souviens que je t'ai dit: «Il m'a semblé que j'allais au-devant d'elle avec mes bras en croix pour lui barrer le chemin. Rappelle-toi: le Louis siffle et elle quitte ma main, et elle part dans la nuit avec son petit paquet, tirée par le sifflet comme par une corde.» Tu t'en souviens?

Donc, je lui souffle doucement, à travers la serrure — et j'entendais sa respiration comme si elle avait eu sa tête contre mon épaule:

— Demoiselle, vous le saviez que je devais venir?

Vous saviez que c'était moi?

Elle répond:

— Oui, je le savais. Je me suis dit: enfin il t'a trouvée! Et ça ne pouvait être personne autre que vous.

— Pourquoi?

[4] *à ne plus savoir si* — so that one could no longer tell whether.
[5] *bonshommes de la crèche* — "santons," little wooden figures carved in Provence to represent characters of the Nativity.
[6] *j'avais rempli ma tête de soleil, à en mourir* — I had received a sunstroke which almost finished me. (Allusion to an incident in the early part of the novel, after Angèle has run away with Louis.)

— Parce que vous m'avez parlé hier soir avec les mêmes mots qu'il y a deux ans.

Et alors, sur le coup, j'ai eu peur, parce que je ne lui avais jamais parlé et que c'était seulement le Louis qui . . . Mais, je me suis souvenu que, la veille, je n'avais pas parlé non plus; j'avais seulement joué de la monica.

— Il y a deux ans, quand vous êtes venu à ma rencontre la nuit, dans le chemin, ah, si je vous avais écouté!

Alors, compagnon, elle m'a dit et j'ai su.

Ce rêve, ces choses de brouillard qui étaient restées en moi et dont je disais: c'est un rêve, c'était du vrai dans lequel j'étais entré comme ivre, avec ma tête pleine de soleil.

Mon corps, tu sais, c'est fort et c'est solide, et cet amour, c'est fort et c'est solide aussi; ensemble l'un portant l'autre, ils ont fait la chose dans le vrai.

J'y suis allé, sur le chemin, à sa rencontre, tout entier, pas seulement ma pensée, ou, tout au moins, ma pensée peut-être en avant, mais, bon gré mal gré, la carne et les os suivaient. Et c'est bien elle qui s'en venait en face de moi, dans la nuit, en tapant du talon sur le chemin sec, et elle avait son petit trousseau dans le fichu.

C'est arrivé, c'est tout vrai, je lui ai pris la main, je lui ai parlé, elle m'a écouté, là, tremblante dans la nuit, à ne plus savoir ce qu'il fallait penser, dans un moment comme ça, de ce gros homme mal d'aplomb et qui parlait . . . et qui parlait de ce beau pays de là-haut, au bout de tous les chemins; de son cœur transparent et clair comme de la glace; de la maison où il y avait de la place pour les berceaux. De ce gros homme qui lui disait: «Nous serons bâtis tous les deux ensemble avec un ciment qui tiendra dur jusqu'au bout de nos haleines.»[7]

Oui, ce soir maudit d'il y a deux ans, je lui ai parlé de tout ça et c'est de ça aussi que je lui avais parlé la veille, avec ma musique.

[7] *jusqu'au bout de nos haleines* — until death do us part.

Et moi, alors, j'ai dit:

—Je veux toujours, et vous?

Alors, elle s'est mise à pleurer, là, derrière la porte, et elle a dit:

— Moi, je ne peux plus, maintenant.

Et, ce soir-là, ç'a été tout.

Le soir suivant, qui était le troisième, qui était hier soir, dès que j'ai été là-bas, j'ai mis ma bouche à la serrure et j'ai demandé:

— Demoiselle, vous m'avez dit: «Je ne peux plus.» Pourquoi?

— Parce que j'ai changé, parce que je ne suis plus la même.

— Ça ne fait rien.

— Oh, si! D'abord, là, à travers la porte, et dans la nuit, j'ose vous parler, mais, si c'était à l'air, vous verriez que je ne peux plus vous regarder en face.

— Mais, vous savez bien que, moi, je vous aime.

— Je le sais, et c'est justement pour ça que ça me serait pénible d'être debout devant vous au plein du jour, vous qui m'avez connue, avant . . . et de vous faire voir ce que je suis devenue, parce que ça se voit, ça se voit tout clair.

— Demoiselle, vous vous faites des imaginations. Moi, je vous dis: je vous aime.

Bien sûr, ça date de cette époque d'avant . . . mais, pour moi, vous resterez toujours pareille comme le premier soir que je vous ai vue.

— Non, allez, c'est pas la peine de dire mais, je le sais bien, moi, que j'ai changé et d'abord, puisque vous êtes là, de l'autre côté de la porte, j'ai réfléchi depuis hier soir, faut que je vous fasse tout savoir . . .

Cette fille-là, compagnon, c'était de la fine fleur et il y a longtemps que je le savais; depuis le moment où elle avait bloqué son cheval et son char devant moi, d'un simple coup de son poignet juste.

Quand tu es venu me chercher à Peyruis et que tu m'as dit qu'elle avait un petit, je me suis pensé: elle te racontera tout elle-même parce qu'elle est franche. J'en aurais mis ma main au feu.[8] Il n'y avait qu'à voir comme elle se comportait
5   avec l'attelage.

On ne peut pas être d'une sorte avec les bêtes et d'une autre sorte avec soi-même. J'en aurais mis ma main au feu.

De fait que, la voilà qui va à faire revivre sa vie devant moi.

Elle la soufflait par le trou de la serrure. Rien ne l'obligeait,
10   ou bien, si quelque chose l'obligeait, c'était seulement sa justice: ça du tréfonds de son corps qui lui disait: «c'est juste, fais-le.»

Tu te doutes de ce qu'il lui a donné comme métier, l'autre? Eh oui, celui qu'il disait, bien sûr! Il l'a vendue comme ça,
15   aux uns et aux autres.

A tant le moment.[9]

C'est ça qu'elle m'avouait, par petits copeaux. Elle y allait sans pitié. Je sentais l'aubier sensible qui pleurait sous les coups de rabot.
20   Et moi, j'étais à l'avance tout plein de pardon comme un bon pâturage et je voulais l'arrêter:

— Ça va, demoiselle, je sais . . .

Mais elle poussait de l'avant; à toute force, elle se menait bride haute et fouet en main comme elle avait l'habitude de
25   mener l'allure.

Enfin, il est venu le moment où tout était dit, sauf le plus dur.

Il ne restait plus que ça à dire, le plus dur, et c'est bien excusable. Alors, elle est restée un long moment muette; c'est naturel. C'était une femme, après tout . . . C'est tendre, une
30   femme.

Moi non plus, je n'osais pas parler. Que dire? Et j'attendais,

---

[8] *J'en aurais mis ma main au feu.* — I would have staked my life on it.
[9] *A tant le moment.* — At so much per minute.

et je pensais: «On se complique les choses; on se complique et
c'est tout simple.»

Alors, elle a donné un coup de bride, elle s'est reprise en
main[10] et elle a demandé:

— Vous êtes toujours là?   5

— Oui, je vous écoute respirer.

— Eh bien, je suis la dernière des dernières: j'ai un petit.

— Bon, je dis, je sais, et après?

Peut-être, elle ne m'a pas entendu; elle continuait à parler,
là, tout contre la serrure, à se vider le cœur. Je l'écoutais, je   10
l'écoutais dans toute ma joie parce que je savais que je portais
le pardon. Elle parlait comme une qui est à l'article de la
mort, qui avoue tout, puis se passe le lacet au cou et se pend:

— J'ai un petit; je ne sais pas qui c'est son père; j'ai été la
femme de tout le monde, je me fais honte dans mon corps.   15
Quand ma mère vient porter mon manger, je n'ose pas lui
dire: «je veux t'embrasser.» Je ne peux pas embrasser ma
mère en me souvenant de ce que j'ai fait avec ma bouche.
Je suis la dernière de toutes, je suis salie en dedans, je me suis
servie de ma chair pour gagner des sous . . .   20

Et puis, à mener trop dur, on énerve le cheval, elle s'est
mise à pleurer et le petit s'est réveillé.

— Demoiselle, je lui ai dit, allez rendormir le petit monsieur,
puis nous verrons.

Alors, quand elle est revenue, c'est moi qui me suis expliqué: 25
Ça a duré, ça a duré . . .

A la fin, toute brisée, elle a soufflé par le trou de la serrure:

— Moi aussi, oh, moi aussi, je voudrais!

Maintenant, voilà: j'ai voulu tout finir avec elle; j'ai tout
fini. Ce que je veux, tu le sais, je la veux, elle, heureuse.   30

---

[10] *elle a donné . . . en main* — she pulled on the check-rein, she got control
of herself again.

Tu vas rentrer; cherche dans le caisson de la voiture; il y a un tournevis, elle me l'a dit. Au commencement de la nuit, va à la glacière; tu n'as pas besoin de parler, elle sait. Creuse sous la porte avec tes mains, la terre est molle, et pousse ton tourne-
5 vis dedans; elle le prendra. Elle dévissera la serrure. Toi, prépare tes paquets et attends. Alors, je viendrai.

Compagnon, ce que je te demande, c'est le dernier coup de main pour charger le fardeau; après, je te débarrasserai; j'irai seul dans mon chemin; j'ai les épaules larges et le
10 pied sûr.

Cette histoire-là, ça m'avait rendu lourd comme un toupin.

Figurez-vous cette chose qui vous tombe dessus toute prête, cette corde nouée qui se dénoue toute seule: c'était à se taper le cul dans un seau.[11]

15 — Garçon, je dis, dans notre confrérie, d'habitude, on passe pour assez débrouillard, mais, toi, alors, tu es le président de la république des débrouillards; à toi le pompon!

Mais, c'est pas tout ça, qu'est-ce que tu feras après?

— Après? Eh bien, après, c'est tout clair.

20 — Comment, c'est tout clair?

— Eh bien, on va à Baumugnes.

— Oui, et puis?

— Et puis, j'ai encore, là-haut, comme un pré et un sem-blant de grangette qu'à nos débuts on pourra s'imaginer que
25 c'est une maison. Je me louerai alentour, on gagnera la soupe, et puis, et puis, tu en demandes trop.

— Et le petit?

— Le petit? Quoi, le petit? Il est d'Angèle, rien que d'Angèle; eh bien il sera à moi, je le ferai mien. Il sera de Baumugnes;

---

[11] *c'était à se taper le cul dans un seau* — *literally,* it was enough to make one back into a bucket. *Translate,* it was enough to make you fall off the Christmas tree.

il ne sera pas à plaindre. Ça fait point de trop vilains gars, ce pays-là, pas, grand-père?

— Je t'en foutrai du grand-père que je lui dis[12] en riant, non, ça fait point trop de vilains gars ton pays, surtout pour le dedans de la tête.

5

Et c'est comme ça que je m'acheminais vers le dernier soir à passer à la Douloire.

Ça me tirait souci.

De fait, venu six heures et la nuit on entre à la cuisine et maman Philomène pose quatre assiettes de soupe sur la table. Il n'y avait dans cette cuisine, au moment du repas, que le bruit des gestes, jamais le bruit du parler.

10

Ce soir-là, donc, il y a d'abord les quatre bruits des assiettes posées sur la table, puis les trois bruits de Clarius, Saturnin et moi, qui approchons nos chaises; puis, pendant un moment, les tapotements de la haute pendule et, enfin, le bruit de la maîtresse qui tire sa chaise aussi.

15

Voilà.

Après, on entend les cuillers tinter sur la faïence et les «hopf» de Saturnin qui pompe la soupe à travers ses moustaches. Il y a aussi, quelque part par là, le petit chat qui joue avec un bout de papier. Il y a l'âtre qui geint sous sa charge de braise et une mouche qui bourdonne du côté de la batterie de cuisine; il y a le vieux pétrin qui craque d'un coup sec et alors le petit chat reste une patte en l'air et ne pousse plus son papier.

20

25

On a fini la soupe.

Pas un mot.

Maman Philomène recule sa chaise et se dresse. Les pantoufles de maman Philomène s'entendent à peine. Le guichet du placard claque, on apporte le lard, le fromage et le pain.

30

[12] *Je t'en foutrai du grand-père que je lui dis* — I'll grandfather you, I said.

Bruit des assiettes.

Le silence.

Le couteau de Clarius cogne contre l'assiette chaque fois qu'il coupe un morceau de fromage. Clarius n'est pas adroit
5 de la main gauche. Depuis trois jours Saturnin ne rit plus.

Le silence . . .

On entend la pendule et le chat. Le chat s'amuse maintenant avec une bobine de fil. Je coupe un morceau de fromage. Je vais doucement; pourtant, la pointe du couteau tinte sur
10 le fond de l'assiette.

Pas un mot!

Maman Philomène soupire. Clarius la regarde. Je sais qu'il la regarde; je n'ai pas levé la tête. Je sais qu'il la regarde.

Le silence.

15 Un sarment humide siffle dans le feu. Voilà!

Voilà les repas à la Douloire! Voilà ce que c'était tous les soirs! Jamais comme ce soir-là je n'avais senti le besoin de parler, le besoin d'écouter parler.

On a fini; je tire ma blague. Je roule une cigarette. Je vais
20 la fumer dehors. Là, dans la poche de mon pantalon, le tournevis est raide et froid contre ma cuisse.

Je dis: «Bonsoir, la compagnie.»

Pour dire ça seulement il a fallu que je racle ma gorge; ça s'embourbe là-dedans à n'y rien faire. Ni Clarius, ni Saturnin,
25 ni maman Philomène qui, là-bas place les assiettes sous l'évier — elle n'a peut-être pas entendu — ne répondent.

Je redis:

— Bonsoir.

Rien.

30 Je sors.

J'avais passé ce tournevis sous la porte et j'avais senti qu'on le tirait vite de l'autre côté. Mon baluchon était là, dans l'herbe. Maintenant, il n'y avait plus qu'à attendre.

A la fenêtre de la chambre il y eut de la lumière. Clarius se couchait. Puis, elle s'éteignit.

Il tombait une forte rosée de nuit.

J'allai à mon paquet pour toucher si ça ne mouillait pas ma provision de tabac. Un petit vent posé sur le figuier menait un train du diable[13] dans les grandes feuilles.   5

Au bout d'un moment, la lumière revient à la fenêtre: la maîtresse allait au lit. Puis la lumière s'éteint.

Il n'y avait qu'à attendre.

J'entendais le tournevis qui grignotait la serrure.   10

Je l'entendis venir de loin, à travers le pré, et pourtant je sursautai quand il me posa la main sur l'épaule:

— C'est moi, compagnon.

L'Albin s'approcha aussitôt de la porte. Moi, je tirai un peu vers l'écart. Les amoureux, ça aime d'être entre soi, blague à part.[14]   15

Oh! la belle nuit!

Si c'était pas un péché … si c'était pas un péché, je me pensais, de clôturer une chrétienne quasiment sous terre quand il faisait si beau dehors.   20

L'air était bon comme de la soupe, de la soupe d'arbre. Ça sentait la feuille humide et l'herbe épaisse. La nuit était sur nous comme un capuchon tout luisant. Il y avait des étoiles jusqu'au tonnerre de Dieu![15]

La Durance chantait doucement sous les peupliers. Vers Oraison, on avait dû allumer des feux pour brûler les fanes de vignes; de temps en temps une grande flamme rouge éclatait de ce côté et on voyait monter dans la nuit une fumée qui flottait comme une crinière de cheval.   25

---

[13] *menait un train du diable* — blew furiously *or* made a heck of a racket.
[14] *blague à part* — no joking.
[15] *jusqu'au tonnerre de Dieu* — *literally,* as far as God's thunder. *Translate,* all over God's heaven.

Albin me héla à voix basse:

— Hé, compagnon, viens voir.

Je viens.

C'était Angèle!

5   Elle était droite dans le creux de la porte ouverte.

Au fond du silo, elle avait laissé la chandelle allumée.

On voyait Angèle à contre-jour, pliée dans un grand châle qui lui couvrait la tête et la poitrine et qu'elle tenait serré sur elle en croisant les bras. On apercevait aussi un peu son
10 nez. Rien que ça, ce peu de nez et la forme du corps, c'était déjà bien plus beau que la nuit.

Vous n'avez jamais enlevé de filles, vous? Non? Eh bien, à ces moments-là, les présentations sont vite faites.

D'ailleurs, il avait dû lui parler de moi, déjà. Elle savait
15 qui j'étais.

Albin avait préparé un couffin en osier, et il l'avait à moitié rempli de paille sèche; et voilà pour monsieur Pancrace.

— Nous le porterons à deux, vous et moi, demoiselle, comme une pannerée de pommes et, balalin-balalan, il n'aura jamais
20 si bien dormi.

Ça, c'est beau en paroles, mais, si on n'avait qu'à combiner pour que tout s'accomplisse, ça serait plus le monde. Monsieur Pancrace fut couché dans le couffin, oui, mais, pour le balalin-balalan, ce fut plutôt dans une secouée de galopade qu'il quitta
25 la Douloire.

Je ne sais pas si, dans notre joie, nous avions parlé plus fort qu'il se doit en cas pareil, ou si notre «chuchu,» tout bien mesuré était encore trop pointu, ou bien . . . enfin, tout ce qu'on veut, mais, comme on passe le coin de la maison, je
30 me sens comme un froid à l'échine; ça vous fait cet effet-là quand quelqu'un vous plante ses regards dans le dos.

Je pense à Clarius, je lâche les paquets, je plonge mes deux bras dans l'ombre et je touche de l'homme et de l'acier froid.

Lui . . . et son fusil, naturellement.

— Ah, salaud !

Déjà, il avait mes bras comme ceinture et moi comme agrafe. J'entends les deux autres qui courent dans le pré.

C'était le fusil que je voulais, et, d'un autre côté, j'osais pas faire avec lui comme avec un homme entier. Je respectais sa patte cassée, je savais ce qu'il cherchait à faire: à dégager sa pétoire pour m'en faire éclater un coup dans la gueule.

Ce fut serré, je vous en fiche mon billet, et à la muette.[16]

Je lui bourrai les côtes avec la noix du poing et je lui collai de la tête dans le menton et je lui trépignai les pieds en même temps: tous les coups en vache, quoi, mais, quand la vie est au bout ! . . .[17]

C'est curieux: à ce moment-là, je voyais clair comme en plein jour l'Albin et sa bonne amie courir dans un pré tout fleuri en balançant balalin-balalan le couffin au marmot et je me disais: «Tiens bon encore, tant qu'ils n'ont pas dépassé le petit ruisseau; après, laisse . . .»

Je le sens soudain tout mollet comme si j'avais entre les bras, au lieu d'un homme en colère, une fascine de jonc. Le fusil tombe et sonne sur les pierres. Je pense: «toujours ça de moins.»[18] Puis, je me rends compte qu'il est plus luttable et je l'allonge doucement par terre.

Sans le faire exprès, j'avais dû lui coincer un peu son bras malade.

Je frotte mon briquet.

Il était étendu comme crucifié. Il ne bougeait plus, mais il avait les yeux ouverts et, le regard de ces yeux, je ne l'oublierai

---

[16] *Ce fut serré, je vous en fiche mon billet, et à la muette.* — I played it close to my vest, I give you my word for it, and without saying a word.

[17] *tous les coups en vache, quoi, mais, quand la vie est au bout !* — all dirty, under-handed blows, you know, but, when your life is at stake !

[18] *toujours ça de moins* — that's out of the way at least.

jamais plus, même si je dure autant que Mathusalem.[19] Sous
sa barbe, il était pâle comme la mort. La flamme au poing, je
le regardais: il était sur sa croix!

Il avait lutté contre le mauvais (à son idée) tant que ça
5   pouvait; maintenant, c'était la fin (toujours à son idée, bien
entendu).

Il ouvre la bouche sans me quitter de l'œil:

— Tue-moi, qu'il dit.

Oh! sacrée tête de navet!

10   Ah! il s'imaginait que ça se faisait comme ça! J'avais donc
l'air de quelqu'un qui frappe un homme par terre?

Vous voyez, l'ingratitude!

Je l'enjambe (avec bien des précautions), je ramasse mon
paquet, et, comme je vais pour filer par le pré, je me retourne
15   et je lui donne sa leçon:

— Veux-tu que je te le dise, Clarius? Eh bien, tu n'es qu'un
fichu saligaud!

IV

Si j'avais été l'Albin, en sortant du pré, j'aurais quitté les
bords dangereux de la Durance et, en remontant le long du
20   ruisseau aux écrevisses, je serais allé à la route. Là, il y avait
un gros chêne, pas haut, mais trapu comme un charbonnier.
J'aurais attendu mon compagnon dans l'ombre. Aussi, c'est
là que je le retrouvai, lui et son Angèle, et son couffin à marmot:

— Bien calculé, compagnon.

25   Je leur explique mon histoire, à ma façon, à l'usage des
dames, pour ne pas effrayer Mme Albin, et ça va.

D'ailleurs, ils avaient l'un et l'autre de quoi occuper leurs
cervelles: ils étaient ensemble.

Ces deux-là, ç'aurait été péché de ne pas faire ce qu'on

---

[19] *Mathusalem* — Methuselah, son of Enoch, Biblical patriarch said to
have lived 969 years. (See Genesis V:25-27.)

avait fait. Maintenant qu'ils étaient enfin réunis, ça avait éclaté
tout d'un coup, à la façon d'un feu qui couve longtemps, puis
se jette tout allongé vers le ciel.

C'était plus de l'amour, c'était de la rage!

Entendez-moi: je ne veux pas dire qu'ils faisaient ça à la   5
«bal de village» avec des baisers comme des gifles et des «mon
gros poulot» à vous mettre la plante des pieds en chair de
poule. Non, c'était calme et solide comme un beau matin; on
entendait venir par-derrière tout un long charroi de lumières.
Remarquez que je ne les voyais même pas, mais ça, ils devaient   10
le souffler dans l'air autour d'eux, avec leur respiration.

Malgré tout, il était prudent de mettre encore un peu de
la terre et des bois entre la Douloire et nous, et on se met en
route. Point de direction: la vallée de l'Asse, c'était le chemin
de la montagne.   15

Albin portait monsieur Pancrace tout endormi dans le
couffin. Angèle marchait à côté de lui; en plus de son bonheur, elle avait celui de ne pas rencontrer de mur devant elle
tous les trois pas.

Et moi, je m'en venais en arrière-garde. J'étais le mulet du   20
troupeau.

C'est plus fatigant de marcher de nuit que de jour.

Le jour, les yeux peuvent s'amuser, le regard gambade
devant et par côté comme un bon chien, et il rapporte des
choses plaisantes: tantôt une pomme, tantôt un verger avec   25
ses fleurs; ça occupe. La nuit, si par malheur on a du souci,
il vous saute dessus, se carre sur vos épaules; tant va la route,
il faut le porter, lui en plus de tout le reste et ça fait beaucoup
pour deux jambes.

Moi, mon souci, c'était la Douloire.   30

Je revoyais, sous la clarté de mon briquet, Clarius étendu
sur l'herbe, sur sa croix je veux dire; j'entendais son «Tue-
moi.» Au point où il en était, ça faisait un homme voué à
la mort.

Un pas, deux pas, cent pas; la nuit. On marche sur des pierres. Il n'y a plus de fleurs aux buissons.

Aussi sûr que j'avais trouvé Albin et Angèle sous le chêne parce que c'était le seul chemin raisonnable, aussi sûr je savais, je pouvais voir les gestes de Clarius. Oh, pas de clous haut plantés aux poutres du grenier, pas de corde, quoiqu'on se pende beaucoup à la campagne, pas de fusil dans la bouche avec l'orteil qui cherche la gâchette, non plus. Le saut des hautes fenêtres sur les dalles de la cour? Non. Il me semblait que j'étais dans sa peau, que j'entendais la naissance de ses gestes.

C'était un homme qui avait un rendez-vous avec la mort: avec la mort de l'eau.

De ce soir, depuis que sa fille était partie une seconde fois pour suivre l'homme (il ne savait donc pas que c'était Albin, cette fois!) de ce soir, il avait entendu la mort, sa bonne amie, lui dire à l'oreille «demain.» Et demain, il irait au rendez-vous. Il irait se foutre à la Durance.

Demain!

C'était maintenant dans les onze heures à en juger. Demain, ça faisait une chose pas bien loin.

La nuit sent la feuille mouillée et le bois pourri. Les deux, là-devant, parlent entre eux de choses douces. Le chemin monte, ils ne le savent pas, et c'est moi qui me cogne dans toutes les pierres, nom de Dieu!

Oui, pour sûr, demain, tout à l'heure, il irait au rendez-vous.

Vous comprenez: souffrir, avoir le cœur qui se gâte comme une dent, et puis, là, à deux pas, le remède, le seul (à son idée, l'andouille) qui y tiendrait?[1]

Dans ces cas-là, pour ces amours particulières avec la mort, on cherche les petits coins tranquilles, on se cache pour bien

---

[1] *qui y tiendrait?* — who could hold out against it?

embrasser, on ne fait pas ça avec des flonflons et des ronds de
jambe. Non, ce qu'on veut, avant tout, c'est être tranquille
et serrer son amoureuse, et prendre en toute sécurité, loin
des gêneurs, la bonne caresse qui guérit. La Durance, ça faisait
juste l'affaire et puis, c'était sous la main. Si c'est pas mal-   5
heureux des têtes de couillon comme ça!²

Et pourtant, cette histoire-là, c'était une chose écrite; il
n'y avait pas à sortir de là.³ S'il avait bien raisonné, son malheur c'était lui qui se l'était fait. Du jour où il avait vu retourner
sa fille, du jour où elle était arrivée de Marseille, par la route   10
peut-être, avec son niston dans le tablier, du jour où elle avait
poussé la porte: «C'est moi, maman,» il n'y avait qu'à remettre
ça dans le train-train de la vie, s'il avait eu pour deux liards
de sens!

Eh bien, voyez-vous, moi, je m'attache aux choses et aux   15
gens. Plus aux choses. Cette Douloire, c'était dans ma peau.
Ah, je sais, je suis changeant comme tous ceux de notre race:
tantôt ici, tantôt là, et après? Vous croyez qu'on part toujours
content, même quand on part de son gré?

Mais la chose n'est pas là; cette Douloire, cette maman   20
Philomène (et celle-là, qu'est-ce qu'il avait l'intention d'en
faire, le demain qui allait se lever tout rouge de jour dans le
droit fil de la route?) le Saturnin avec son nid de vieux sanglier
et même le Clarius, ça avait pris de la place dans moi.

Ah, j'aurais donné dix francs pour être là à le surveiller   25
quand il irait se foutre à l'eau, je l'aurais laissé faire, ah oui!
je l'aurais laissé boire un bon coup, puis, je serais allé le
chercher: tel que je vous le dis! Et puis, là, au milieu de l'eau,
où ça aurait pu avoir l'excuse du sauvetage, je te lui en aurais
flanqué sur la gueule tant et plus, à bien me passer mon envie.⁴   30

² *Si c'est pas . . . comme ça!* — What a pity there are fools like that!
³ *il n'y avait pas à sortir de là* — there was no way to get around it.
⁴ *je te lui en aurais . . . envie* — I would have given him smacks enough on
the jaw, I tell you, to give full vent to my feelings.

Après, je lui aurais dit: «Ah, vous savez, si j'ai frappé un peu fort, c'est que vous me teniez les jambes» mais en moi-même, j'aurais jubilé.

Dix francs . . . je vous dis!

5   Les chiens aboyaient quand nous passions près des fermes. Je remarquai que les chiens aboyaient sur notre gauche; ça voulait dire qu'on avait dépassé l'endroit où la Durance serrait de près le bord du plateau et que maintenant, de ce côté-là aussi, il y avait de la terre à blé. Ça suffisait.

10   Je dis:

— Hé là, les amoureux!

Et de rire là devant.

Ils ne s'étaient pas même rendu compte qu'ils marchaient depuis un bout de temps appréciable.

15   — Si on faisait la «posette»? Autant qu'on peut voir au frais de l'air ça doit être dans les trois, quatre heures de la matinée?

Une fois assis dans une couche douce tapissée de thym sec ça tirait tellement souci de se lever qu'on resta.

Ce petit miaulement de marmot qui me réveilla fit que je 20 pensai à mi-sommeil: «Cette fois, tu vas la trouver, la cachette.» Je m'imaginais encore à la Douloire à chercher Angèle. L'œil ouvert, je m'aperçus qu'elle était là, devant moi et même, qu'enfin, pour la première fois, j'allais la voir.

Vous vous en souvenez peut-être? Au fond, je ne l'avais 25 jamais vue, cette fille. Ça ne s'appelle pas voir ce passage dans un rais de lampe, là-bas, à la ferme, et cette forme pliée dans son châle sur la porte du silo.

Il faisait encore un peu nuit mais, dans un moment, je la verrais.

30   C'était l'aube. On avait comme délayé de la chaux dans le ciel. Il y avait encore des plaques de nuit dans les vallons, et, sur l'autre bord de la Durance, des lumières brillaient encore dans le village de Villeneuve.

Et c'était l'aube. Une alouette s'élança droite au milieu du vent; elle y grinçait comme un couteau dans un fruit vert. Et puis, d'un coup, bien avant le soleil qui était encore là-bas en Italie, ce fut le jour et je vis Angèle.

Elle s'était baissée sur le panier d'osier, elle avait eu aussitôt   5
les mains pleines de monsieur Pancrace. Je la vois qui le pose sur ses doux genoux sensibles et elle en relevait un peu un pour faire oreiller à la petite tête. Elle écarte son fichu, elle dégrafe son corsage, elle sort un beau globe de sein fleuri, elle le penche sur la bouche affolée et les cris s'arrêtent. Alors, elle   10
relève sa tête: ses yeux et ses lèvres sont pleins d'un immense rire immobile.

Monsieur Pancrace mâchait la fleur du sein comme un éperdu; il lui coulait des fils de lait sur toute la figure; jusque dans son œil qu'il clignait sans s'interrompre.   15

C'était beau! C'était la leçon de la vie. Voilà ce que, malgré tout, vent et marée,[5] elle avait fait. Quelle beauté!

Angèle!

Je la voyais tout entière, maintenant, toute sortie de la nuit. Je la voyais dans ses prolongements de ce qui avait été et dans   20
ses prolongements de ce qui serait. Une femme comme ça, c'était un morceau de la terre, le pareil d'un arbre, d'une colline, d'une rivière, d'une montagne. Ça faisait partie du rond ensemble.[6] Ça durerait autant que les étoiles!

Et belle à crier au péché quand on savait, comme moi, que   25
ça avait été enfermé sous terre![7]

Ah! c'était beau, je vous jure, cette fille comme un gros fruit, et ce sein aimable et chariteux, et ce tété goulu. Monsieur

---

[5] *malgré tout, vent et marée* — We would say "come hell or high water."
[6] *Ça faisait partie du rond ensemble.* — She was part of the essential fitness of things (*free translation*).
[7] *Et belle à crier au péché . . . sous terre!* — And she was so beautiful that one like me who knew she had been imprisoned underground must call it a sin!

Pancrace avait sorti sa petite main et il caressait l'outre douce, et il y pianotait dessus avec ses doigts comme des allumettes.

De voir cette belle poitrine dans l'air du matin, un peu mordeur, Albin demanda:

5   — Vous n'avez pas froid, demoiselle?

Angèle, c'était une mère: une mère comme ça, ça mélange sans honte l'amour du mâle et l'amour de son fruit.

Elle dit, toute oublieuse, entière à son amour.

— Donne-moi l'écharpe du petit.

10   Puis aussitôt:

— Oh, j'ai dit «Tu.»

Et l'Albin!

Il prend l'écharpe, il la lui tend:

— Tiens, ma belle!

15   Voilà: la vie était devant eux. Ah, j'étais sans souci de ce côté. La vie était devant eux parce qu'ils s'aimaient et surtout parce qu'ils s'aimaient comme des gens libres. Vous me direz: «comme des bêtes»; et puis après?

J'y ai bien réfléchi; à ça: Baumugnes, c'était un endroit où
20 on avait refoulé des hommes hors de la société. On les avait chassés; ils étaient redevenus sauvages avec la pureté et la simplicité des bêtes.

Ils n'étaient pas compliqués: ils étaient sains, ils étaient justes; je vous explique ça comme je le sais, sans falbalas.

25   Ils venaient au-devant de la vie comme des enfants, les mains en avant, avec des gestes qui ne tombaient pas d'aplomb.[8]

L'Albin avait voulu la femme qu'il aimait: il l'avait. Ce qui est passé est passé. Un autre aurait traîné ça toute sa vie comme un boulet; lui, il regardait dans le vert de l'aube ce sein et les
30 ruisselets de lait sur la figure du petit.

Ce qui est passé est passé.

---

[8] *qui ne tombaient pas d'aplomb* — which were straightforward and upright.

Elle vient de le tutoyer et le ciel, avec tout son verger d'étoiles, est en lui.

Vous me direz: ils s'aimaient comme des bêtes . . . et je vous redirai: oui . . . et après? . . .

Le Clarius, tout intelligent qu'il était, tout homme qu'il était, n'arrivait pas à faire du bonheur avec ça; et, pour la même chose, il allait se flanquer à la Durance tout à l'heure.

Monsieur Pancrace avait fini: il avait pompé avec le lait doux un sommeil plein de fleurettes et il le ronronnait déjà, la bouche ouverte.

Angèle le coucha dans le couffin et le couvrit. Le ciel saignait comme une grenade mûre:

— En route, dit Albin.

Je voyais, devant nous, dans le flanc noir des collines, une vallée pleine de brumes bleues: le torrent d'Asse, la porte! C'était de là qu'on allait monter à Baumugnes.

On était face au levant.

Pour vous expliquer ce qui vient après, il faut vous souvenir que mes soucis sur le Clarius, mes réflexions sur la chute de la Douloire (ce qui était mon ouvrage au fond) ça ne m'avait pas quitté.

C'était au fond de moi comme une eau, ça ballottait à la mesure de mon pas et le bruit m'accompagnait. Mais j'avais une idée qui me disait: tant qu'il ne fait pas jour en plein, ça ne risque rien encore, ça peut être sauvé; et j'attendais le miracle.

Le miracle, ça vint de moi.

De moi, et de l'image qui, d'un coup, remplit ma tête, à savoir: la figure de maman Philomène, droite, bonne, simple, noble à tout dire,[9] et qui monta devant mes yeux précisément à la minute où, le soleil ayant débordé des Alpes, son eau

---

[9] *à tout dire* — in short.

d'or bouillonnant sur les collines du plat pays, le danger commençait pour la Douloire.

En trois longs pas je dépassai Albin chargé du petit et qui
marchait doucement en soutenant Angèle.

5   Et je lui barrai la route de la montagne avec mes bras en
croix, et je lui dis:

— Mon gars, mon pauvre gars, c'est à refaire.

Il me demanda à l'étonné:

— Tu es malade, grand-père?

10   Sa voix était triste parce qu'il avait deviné.

— Ah, garçon, malade! Peut-être bien que je le suis, mais
ce qu'il y a de sûr, c'est qu'il faut que je te parle. Ce qui commence, avec ton pas, avec le pas de la demoiselle, c'est une
vie. Ta vie! Eh bien, voilà ce que je te demande: attends une
15   minute; je vais te dire ce que j'ai à te dire; après, je me lèverai
de devant ton chemin, et, si tu veux passer, tu passeras.

Il quitta la taille d'Angèle. Son bras avait pris le pli; il mit
longtemps à glisser, mais il y avait quelqu'un dans la tête.[10]

— Ça va, parle.

20   — D'abord, garçon, une chose: un beau travail, ça ne débute
jamais par une crapulerie.

— Oui, et puis? . . .

— Et puis, voilà.

— Après, je veux dire.

25   — Après, c'est tout, c'est tout là.

Il resta un bon moment à me regarder le fond de l'œil.

— Si tu dis ça pour moi, compagnon, tu penses ce que
je pense.

— Possible. Et alors? . . .

30   — Alors, tu vas savoir: si j'ai attendu que tu parles le
premier, c'est à cause de celle-là que j'aime et qui est là. Tu

---

[10] *il y avait quelqu'un dans la tête* — *lit.*, there was someone in his head;
that is, his mind was ready to function.

sais, toi, si j'en ai eu soif d'elle! Et maintenant, c'est un matin,
et me voilà, en face de la bonne route, avec du grand soleil
bien clair qui me coule dessus; là, dans mon bras, je l'ai, elle;
elle, sa chaleur et son poids et sa vie qui bouge; ça excuse beaucoup de choses.   5

Ah, bien sûr, je sais, ce que j'ai fait pour l'avoir, ça a été
de l'ouvrage vite faite, c'est pas fignolé, c'est pas vu en détail,
ça a été empaqueté tout en gros dans ma volonté, et je
t'emporte . . .

Ah, j'ai raisonné ça dans moi-même, et peut-être avant toi,   10
mais jusqu'à ce dernier pas que tu as arrêté le pied en l'air, je
m'endormais en me disant: mal que mal,[11] aux mauvais ans
le blé se sème et il pousse. Si tu as mal semé, tant pis, fais
confiance au temps qui vient. Et puis, il y a encore une chose:
elle est là, elle, avec sa chaleur vivante, et elle a voix au   15
chapitre, elle a le droit de son idée, elle a le droit de dire: «A
mon idée, on doit faire comme ça.» C'est plus moi seul, maintenant, tout compte.

Il regarda Angèle.

Un peu l'air du matin qui la surprenait, un peu de parler   20
de ça qu'elle voyait bien où ça menait,[12] elle était blanche
comme une feuille de papier. Il n'y avait de la couleur que
dans ses yeux.

Elle appuya sa tête sur l'épaule de son homme:

— Fais comme tu veux.   25

Elle disait avec tout son corps: «On est deux dans un, c'est
toujours toi seul. Où tu veux, mais avec toi.»

Le soleil montait. L'autre, là-bas, était peut-être déjà en
train de prendre le chemin de la Durance. C'était peut-être
une affaire de quart d'heure.   30

[11] *mal que mal* — whatever harm may come from it.
[12] *un peu de parler de ça qu'elle voyait bien où ça menait* — The meaning of this
ungrammatical phrase is "partly from talking about the matter the out-
come of which she foresaw."

— Alors, dit Albin, si c'est comme je veux, ma femme, on retourne.

Je veux parler à ton père, à ta mère, et m'en aller de la Douloire avec toi, dans le plein jour, sous les yeux de tous, 5 et qu'on sorte pour nous regarder partir, et qu'il y ait, sur le pas de la porte, le papa et la maman en train de faire «au revoir» en bougeant les mains. Voilà ce que je veux!

Ça pouvait tout sauver . . . ou tout perdre.

Je dis:

10 — Réfléchis bien: si c'est pour mon estime que tu le fais, marche devant, va à Baumugnes, tu en as assez fait.

— Non, c'est pour la mienne, d'estime.

— Il y a encore une chose: quand nous serons tous les trois de front vers la Douloire, en plein jour, il y a encore le fusil de 15 Clarius, il faut y compter.

— C'est sûr, dit Angèle.

— C'est quand même demi-tour, grand-père!

Sur le chemin du retour, il fit, une fois, comme en se parlant à lui-même:

20 — . . . Parce que je ne veux pas faire comme l'autre.[13]

Et une autre fois:

— . . . de toute façon, c'est ma femme pour toujours, maintenant.

Et enfin:

25 — . . . moi je suis de Baumugnes.

Après, il s'est mis à rigoler avec le petit.

Monsieur Pancrace, tout éveillé par le pas sec et long, avait pris la chose avec le rire. Le soleil jouait dans la dentelle de son bonnet. C'était nouveau. Vous ne voulez pas être de bonne 30 humeur, avec ça?[14]

---

[13] *l'autre* — The despicable seducer, Louis, is meant here, of course.
[14] *Vous ne voulez pas être de bonne humeur, avec ça?* — How could anyone fail to be in good humor, with all that?

Albin l'avait juché sur son bras. Il lui chantait en plein dans
la figure le «mouli de la mouline» et le «pouli de la pilo de la
poulette.»[15]

Ah mon cochon!

De ça, et puis du vent qui était comme une infusion de   5
verdure, il en bavait, ce jeunot!

On marchait tous les trois sur la même ligne, du même pas
qui entraînait en avant. Du bon sang rouge avait mûri les
joues d'Angèle. On entendait le cri des pies et le rire de
monsieur Pancrace.   10

Mais, je ne vous cache pas, je pensais surtout au fusil.

Sur le coup de onze heures, la Douloire, enfin!

Enfin, parce que je n'en pouvais plus de malaise et de peur.
Non pas Angèle; elle marchait toujours, bravette et tout
sourire, en agaçant d'une longue paille le monsieur Pancrace,   15
habitué à Albin jusqu'à lui avoir pissé sur la manche.

Non, j'étais seul à avoir peur. Les deux autres, ils allaient
vers leur destin . . .

Voilà la Douloire.

Elle était là, dans les terres, et le chemin qui y menait   20
partait de nos pieds, entre deux gros chênes, et filait droit
jusqu'à, là-bas, la porte noire, ouverte vers nous comme
une gueule.

S'il n'était pas déjà parti se noyer, il était là-bas, dans cette
ombre, le Clarius.   25

Nous, on allait s'emmancher dans ce chemin, droit et clair,
en face de lui; il aurait bien le temps de nous voir venir, de
viser et . . .

C'était une belle chose: Albin et Angèle! Ces deux-là, ensemble, c'était aussi beau que tout le monde entier.   30

On s'était arrêté sous le chêne de droite. Albin plaça le
petit solidement en selle sur le creux de son coude.

[15] *mouli de la mouline . . . pouli de la pilo de la poulette* — meaningless words
chosen for their onomatopoeia, in speaking to a baby.

— Mets ton bras autour de moi, Angèle.

Lui, il entoura mes épaules de son bras libre. Ah! un beau poids, je vous assure, bien ami, bien franc: une franchise d'arbre; sa figure avait le sourire de l'herbe.

— Les enfants, en avant!

Une, deux . . . une, deux!

On tapait sur les pierres de nos six pieds bien résolus. Et monsieur Pancrace chantait: lo, lo, lo; en mesure.

Dire que le vieux couillon était là-bas, dans l'ombre, avec son fusil.

Dire que j'étais aussi couillon que lui d'avoir attiré ces trois vies du bon Dieu sur ce sacré putain de chemin, droit comme une ligne de mire!

Si on pouvait seulement aller jusqu'au saule!

Le saule! Une, deux, il est dépassé!

Une, deux; en avant, de front, comme à la guerre!

Si on pouvait seulement aller jusqu'au premier peuplier!

Le voilà; puis le deuxième, le troisième!

Une, deux; déjà, on est aux platanes!

Oh, le bruit qu'on fait!

Tous les trois, liés par les bras comme un mur, un mur de chair, un mur de vagues. La vie qui vient comme une vague sur la Douloire!

Et le vieil andouille avec son fusil dans l'ombre!

Ah, peut-être il va tirer par la fenêtre!

Voilà le pavé de la cour.

Toute la boule du monde tourne sous mes pieds avec sa charge d'arbres, de fermes, de fusils et d'étoiles.

Je marche parce que je suis cramponné au bras d'Albin.

Monsieur Pancrace chante «acre bibi.»[16]

Trois pas, deux pas, un, la porte! On entre; on est entré!

Voilà!

---

[16] *acre bibi* — meaningless baby talk.

Dans un grand silence, je nous revois, tous les trois alignés dans la cuisine. Albin hausse au-dessus de nous monsieur Pancrace qui roucoule.

Eux, ils sont là, assis près de l'âtre vide: maman Philomène, l'œil et la bouche larges avec, dans la figure, autant d'ombre que de chair. Lui, cramponné au bras de la chaise de bois, tout bandé sur lui-même comme une bête qui va bondir.

Sa tête où est plantée la pipe se tend vers nous, dents découvertes.

Silence!

On entend nos trois haleines.

Monsieur Pancrace dit: «Pépé!»

Le tuyau de la pipe s'est cassé entre les dents de Clarius.

Maman Philomène glisse sur les genoux et, les mains jointes, elle dit:

«Bonne vierge,
Par le fruit de vos entrailles,
Priez pour nous!»

V

Non, il n'a pas tiré!

Oh! Il a pris le fusil, et il nous a tenus un bon moment, tous les quatre, dans le rayon des deux canons noirs, et il a craché le bout du tuyau de pipe pour dire:

— Pute!

Angèle est droite et fière, serrée contre Albin; son corsage est dégrafé, et l'on voit son sein de nourrice.

Il n'a pas tiré.

Ce n'est ni Philomène, ni la vierge, loin, là-haut, qui l'ont retenu.

Il n'a pas osé.

C'était quelque chose, vous savez, l'Albin dans cette maison: cet homme pur comme de la glace.

Voilà l'histoire.

Quand nous sommes partis de la Douloire, c'était au bel honneur du jour, comme il voulait, et du plein gré de tous, et Clarius a dit: «Au revoir les enfants»; et maman Philomène
5 a dit: «Enroule le caban sur les pieds du petit»; et ils nous ont regardés tant loin que leurs yeux allaient, et cet andouille de Saturnin monté sur la meule de paille faisait le télégraphe[1] avec son chapeau au bout du bras. C'est vous dire!...[2]

Il faisait froid à cause d'un mistral bâtard pas bien dans
10 son axe.

Comme on entrait dans Oraison, je leur dis:

— Les enfants, on va boire un café chaud.

— Que non,[3] fait l'Albin, tout drôle.

Une envie qui n'osait pas dire oui; c'est ce qui me met la
15 puce à l'oreille.

Pendant qu'Angèle faisait téter monsieur Pancrace, dans un coin du café où, quand même, il avait bien fallu qu'il vienne, je le confessai.

Ah! pour ce qui était des choses tout près de la folie[4], comme
20 d'aller demander en mariage la fille de la Douloire avec un air d'harmonica, mon Albin disait: «présent!» mais, pour les choses de la raison...

Il n'avait pas voulu prendre un sou là-bas et il n'avait pas un sou dans sa poche.

25 Il comptait monter là-haut à pied, donc! Il n'avait plus confiance en moi, donc!

Il a fallu que j'en dise!...

Et, à la fin, il s'est rendu, à cause d'elle et du petit.

[1] *faisait le télégraphe* — was sending messages.
[2] *C'est vous dire!* — That tells the story!
[3] *Que non* — elliptical expression for *Je pense que non*, I don't think so.
[4] *pour ce qui était ... folie* — when it was a question of something bordering on madness.

On est arrivé à la gare au terme du jour. On formait un train. Il était présentement tout le long du trottoir, sans tête, et comme mort, avec tous ses compartiments ouverts. Il partait vers les sept heures, je crois.

Je leur ai pris deux billets, de mon argent. Il me restait trois francs; je lui ai demandé sa blague à tabac, censément pour bourrer ma pipe, et j'ai mis les trois francs dedans la blague, bien au-dessus du tabac, pour qu'il les trouve quand il voudrait fumer sa cigarette, plus tard.

Et je les ai installés dans un wagon.

On voyait bien que nous n'avions pas l'habitude; c'était encore trop tôt pour ce train-là; et nous étions seuls dans la gare. Là-bas, de l'autre côté du quai, à travers les portes vitrées, on voyait des gens en casquettes noires assis devant des lampes à pétrole. Il y avait le chef: un gros rouge qui grattait son poêle à tours de bras. A un moment donné, un de ces hommes en casquette était parti le long des rails avec une lanterne rouge et verte pour chercher je ne sais pas quoi.

A part ça, il y avait nous et le vent.

Moi, j'étais resté sur le trottoir, devant le compartiment. Ils avaient laissé la porte ouverte, mais, déjà, ils n'étaient plus avec moi. Angèle, endormie, avait posé sa tête sur l'épaule d'Albin. Elle était toute serrée contre lui; monsieur Pancrace, enroulé dans le caban, sur les genoux de l'homme, allait dormir aussi. Une dernière fois il avait ouvert ses paupières, et, maintenant, il tétait le pouce d'Albin.

Et le voilà, lui, solide et droit, et il n'osait pas bouger, il n'osait pas respirer trop fort, ni parler .. sans force, tout lié en gerbe par cette sacrée corde du bonheur.

Mais, si vous aviez vu ses yeux! . . .

Je le regardais, il me regardait, et ça s'est fini comme ça, sans une parole.

J'ai d'abord fait un pas en arrière, puis encore un. A un

moment donné, je me suis trouvé juste à la limite d'où je pouvais voir encore ses yeux.

Alors, j'ai entendu que ces yeux-là disaient:

— Merci, mon copain, mon plus que copain; merci, grand-
5 père-du-bonheur. Ça va; ça va aller, maintenant; c'est fini, tu vois! Merci, merci! . . .

J'étais au bout de la ficelle d'amitié amarrée dans nos deux cœurs; encore un pas, elle cassait.[5]

Et j'ai fait ce pas en arrière, et je suis parti.

10 Voilà!

[5] *elle cassait* — Here the imperfect is used, as often in French for greater vividness, to replace the conditional. Translate "it would have broken."

La Femme du boulanger
(1932)

The episode of the baker's wife is taken from Jean le bleu (translated by Miss Katherine Clarke under the title Blue Boy), a semi-autobiographical volume which relates the spiritual development of the author from earliest childhood to his departure for the First World War. In addition to its autobiographical musings, Jean le bleu also relates stories of the simple inhabitants of Giono's little town and countryside — shepherds, bakers, musicians and all the humble tradesmen of the region.

In 1906 when the little boy was eleven years old, his father decided that it would be good for Jean's health as well as for his better comprehension of the world of nature to send him for the summer to the home of the master-shepherd Massot in Corbières, where this episode takes place. Internationally famous as a result of Pagnol's film La Femme du boulanger (based however on a later three-act version of the story which Giono produced as a drama), this incident is perhaps the finest example of Giono's early manner and one which seems destined to achieve the status of a French classic.

LA FEMME DU BOULANGER

La femme du boulanger s'en alla avec le berger
des Conches. Ce boulanger était venu d'une
ville de la plaine pour remplacer le pendu.
C'était un petit homme grêle et roux. Il avait trop longtemps
gardé le feu du four devant lui à hauteur de poitrine et il s'était   5
tordu comme du bois vert. Il mettait toujours des maillots de
marin, blancs à raies bleues. On ne devait jamais en trouver
d'assez petits. Ils étaient tous faits pour des hommes, avec un
bombu à la place de la poitrine. Lui, justement, il avait un
creux là et son maillot pendait comme une peau flasque sous   10
son cou. Ça lui avait donné l'habitude de tirer sur le bas de son
tricot et il s'allongeait devant lui jusqu'au dessous de son ventre.

— Tu es pitoyable, lui disait sa femme.

Elle, elle était lisse et toujours bien frottée; avec des cheveux
si noirs qu'ils faisaient un trou dans le ciel derrière sa tête. Elle   15
les lissait serrés à l'huile et au plat de la main et elle les attachait
sur sa nuque en un chignon sans aiguilles. Elle avait beau
secouer la tête[1], ça ne se défaisait pas. Quand le soleil le tou-

[1] *Elle avait beau secouer la tête* — No matter how much she shook her head.

chait, le chignon avait des reflets violets comme une prune. Le
matin, elle trempait ses doigts dans la farine et elle se frottait
les joues. Elle se parfumait avec de la violette ou bien avec de
la lavande. Assise devant la porte de la boutique elle baissait
5   la tête sur son travail de dentelle et tout le temps elle se mordait
les lèvres. Dès qu'elle entendait le pas d'un homme elle mouillait ses lèvres avec sa langue, elle les laissait un peu en repos
pour qu'elles soient bien gonflées, rouges, luisantes et, dès que
l'homme passait devant elle, elle levait les yeux.

10   C'était vite fait.[2] Des yeux comme ça, on ne pouvait pas les
laisser longtemps libres.

— Salut, César.

— Salut, Aurélie.

Sa voix touchait les hommes partout, depuis les cheveux
15   jusqu'aux pieds.

Le berger, c'était un homme clair comme le jour. Plus enfant
que tout. Je le connaissais bien. Il savait faire des sifflets avec
les noyaux de tous les fruits. Une fois, il avait fait un cerf-volant
avec un journal, de la glu et deux cannes. Il était venu à notre
20   petit campement.

— Montez avec moi, il avait dit, on va le lancer.

Lui, il avait ses moutons sur le devers nord, où l'herbe était
noire.

— Quand le vent portera, je le lâcherai.

25   Il était resté longtemps, debout sur la crête d'un mur, le bras
en l'air et il tenait entre ses deux doigts l'oiseau imité.

Le vent venait.

— Lâche-le, dit l'homme noir.

Le berger clignait de l'œil.

30   — Je le connais, moi, le vent.

Il lâcha le cerf-volant à un moment où tout semblait dormir;
rien ne bougeait, même pas la plus fine pointe des feuilles.

---

[2] *C'était vite fait.* — **It didn't take long.**

Le cerf-volant quitta ses doigts et il se mit à glisser sur l'air plat, sans monter, sans descendre, tout droit devant lui.

Il s'en alla planer sur les aires; les poules se hérissaient sur leurs poussins et les coqs criaient au faucon.[3]

Il tomba là-bas derrière dans les peupliers.   5

— Tu vois, le vent, dit le berger.

Il se toucha le front avec les doigts et il se mit à rire.

Tous les dimanches matin il venait chercher le pain de la ferme. Il attachait son cheval à la porte de l'église. Il passait les guides dans la poignée de la porte et, d'un seul tour de main,   10 il faisait un nœud qu'on ne pouvait plus défaire.

Il regardait sa selle. Il tapait sur le derrière du cheval.

— S'il vous gêne, poussez-le, disait-il aux femmes qui voulaient entrer à l'église.

Il se remontait les pantalons et il venait à la boulangerie.   15

Le pain, pour les Conches, c'était un sac de quarante kilos. Au début, il était toujours préparé d'avance, prêt à être chargé sur le cheval. Mais, Aurélie avait du temps toute la semaine pour calculer, se mordre les lèvres, s'aiguiser l'envie. Maintenant, quand le berger arrivait, il fallait emplir le sac.   20

— Tenez d'un côté, disait-elle.

Il soutenait les bords du sac d'un côté. Aurélie tenait de l'autre côté d'une main, et de l'autre main elle plaçait les pains dans le sac. Elle ne les lançait pas; elle les posait au fond du sac; elle se baissait et elle se relevait à chaque pain, et comme ça,   25 plus de cent fois elle faisait voir ses seins, plus de cent fois elle passait avec son visage offert près du visage du berger, et lui il était là, tout ébloui de tout ça et de l'amère odeur de femme qui se balançait devant lui dans la pleine lumière du matin de dimanche.   30

— Je vais t'aider.

Elle lui disait «tu» brusquement, après ça.

[3] *Criaient au faucon* — cried out to warn against the falcon.

— Je me le charge seul.

C'était à lui, alors, de se faire voir. Pour venir à cheval, il mettait toujours un mince pantalon de coutil blanc bien serré au ventre par sa ceinture de cuir; il avait une chemise de toile
5   blanche un peu raide, en si gros fil qu'elle était comme empesée, autour de lui. Il ne la boutonnait pas, ni du bas, ni du col, elle était ouverte comme une coque d'amande mûre et, dans elle, on voyait tout le torse du berger, mince de taille, large d'épaule, bombu, roux comme un pain et tout herbeux d'un beau poil
10   noir frisé comme du plantain vierge.

Il se baissait vers le sac, de face. Il le saisissait de ses bonnes mains bien solides; ses bras durcissaient. D'un coup, il enlevait le poids, sans se presser, avec la sûreté de ses épaules; il tournait doucement tout son buste d'huile,[4] et voilà, le sac était chargé.
15   Pas plus pour lui. Ça disait.[5]

— Ce que je fais, je le fais lentement et bien.

Puis, il allait à son cheval. Il serrait le sac par son milieu, avec ses deux mains pour lui faire comme une taille, il le plaçait en besace sur le garot de sa bête, il défaisait son nœud
20   de guides et, pendant que le cheval tournait, sans étrier, d'un petit saut toujours précis, il se mettait en selle.

Et voilà!

— Elle n'a rien porté, dit le boulanger, ni pour se couvrir ni rien.
25   C'était un grand malheur. On entrait dans la boulangerie toute ouverte. Il faisait tout voir. On allait jusque dans la chambre, là-bas, derrière le four. L'armoire n'était pas défaite; la commode était bien fermée. Elle avait laissé sur le marbre son petit trousseau de clefs, propre, tout luisant, comme en
30   argent.

---

[4] *son buste d'huile* — his shiny (magnificent) torso.
[5] *Pas plus pour lui. Ça disait.* — He didn't need to do anything more. That spoke for itself.

— Tenez. . . .

Il ouvrait les tiroirs.

— Elle n'a pas pris de linge; ni ses chemises en tricot.

Il fouillait dans le tiroir de sa femme avec ses mains pleines
de son.   5

Il chercha même dans le linge sale. Il sortit un de ses tricots
qui sentait comme une peau de putois.

— Qu'est-ce que vous voulez, disaient les femmes, ça se
sentait venir.[6]

— A quoi? dit-il.   10

Et il les regarda avec ses petits yeux gris aux paupières
rouges.

On sut bien vite qu'Aurélie et le berger étaient partis pour
les marécages.

Il n'y avait qu'une route pour les collines, et nous gardions   15
les moutons en plein au milieu, l'homme noir et moi.

On monta nous demander:

— Vous n'avez pas vu passer Aurélie?

— Non.

— Ni de jour ni de nuit?   20

— Ni de jour ni de nuit. De jour, nous ne bougeons pas
de là. De nuit, nous allons justement nous coucher dans le
sentier parce que c'est plus chaud, et, précisément cette nuit,
nous avons lu à la lanterne jusqu'au liseré du jour.

Ce devait être cette lumière qui avait fait rebrousser chemin   25
aux amoureux.

Ils avaient dû monter tout de suite vers les collines et
attendre que la lumière s'éteignît. On trouva même une sorte
de bauge dans les lavandes et d'où on pouvait nous guetter.

Le berger savait bien qu'on ne pouvait passer que là. D'un   30
côté c'était l'apic de Crouilles, de l'autre côté les pentes traîtres
vers Pierrevert.

---

[6] *Qu'est-ce que . . . venir.* — What else could you expect, said the women.
You could see that coming.

Dans l'après-midi, quatre garçons montèrent à cheval. Un s'en alla sans grand espoir aux Conches pour qu'on regarde dans les greniers. L'autre alla à la gare voir si on n'avait pas délivré de billets. Les deux autres galopèrent l'un au nord, 5 l'autre au sud, le long de la voie jusqu'aux deux gares de côté. On n'avait donné de billet à personne dans les trois gares. Celui qui était parti pour les Conches rentra tard et saoul comme un soleil.[7]

Il avait raconté ça à M. d'Arboise, le maître des Conches, 10 puis aux dames. On avait fouillé les granges en bandes. On avait ri. M. d'Arboise avait raconté des histoires du temps qu'il était capitaine aux dragons. Ça avait fait boire des bouteilles.

D'avoir galopé ainsi après une femme, de s'être frotté contre 15 les dames des Conches tout l'après-midi, le garçon en était plus rouge encore que de vin.

Il tapait sur l'épaule du boulanger.

— Je te la trouvais, dit-il, je te la ramenais, mais je te la baisais en route.[8]

20 Le boulanger était là, sous la lampe à pétrole. On ne voyait bien que son visage parce qu'il était plus petit que tout le monde et que le visage des autres était dans l'ombre. Lui, il était là avec ses joues de terre et ses yeux rouges et il regardait au-delà de tout, et il tapotait du plat des doigts le froid du 25 comptoir à pain.

— Oui, oui, disait-il.

— Avec tout ça, dit César en sortant, vous verrez qu'on va encore perdre le boulanger. C'est beau, oui, l'amour, mais il faut penser qu'on mange. Et alors? Il va falloir encore patrouil-30 ler à Sainte-Tulle pour aller chercher du pain. Je ne dis pas, mais, si elle avait eu un peu de tête, elle aurait dû penser à ça.

---

[7] *saoul comme un soleil* — drunk as a lord.
[8] *Je te la trouvais . . . en route.* — If I found her for you I would bring her back to you but I would give her a kiss or two for you on the way.

— Bonsoir, merci, disait le boulanger de dessus sa porte.

Le lendemain, César et Massot s'en allèrent dans le marais.
Ils y restèrent tout le jour à patauger à la muette et à fouiller
comme des rats. Vers le soir seulement, ils montèrent sur la
digue et ils appelèrent de tous les côtés: 5

— Aurélie! Aurélie!

Un vol de canards monta vers l'est puis il tourna du côté
du soleil couchant et il s'en alla dans la lumière.

Le souci de César, c'était le pain. Un village sans pain,
qu'est-ce que c'est? Perdre son temps, fatiguer les bêtes pour   10
aller chercher du pain à l'autre village. Il y avait plus que
ça encore. On allait avoir la farine de cette moisson et chez
qui porter la farine, chez qui avoir son compte de pain, sa
taille de bois où l'on payait les kilos d'un simple cran au couteau? Si le boulanger ne prenait pas le dessus de son chagrin, 15
il faudrait vendre la farine au courtier, et puis, aller chercher
son pain, les sous à la main.

— Quand on a le cul un peu turbulent,[9] tu vois ce que ça
peut faire; où ça nous mène?

De trois jours, le boulanger ne démarra pas du four. Les   20
fournées se mûrissaient comme d'habitude. César avait prêté sa
femme pour servir. Elle était au comptoir. Et, celle-là, il ne
fallait pas lui conter ni berger ni marécages:[10] elle était là,
sombre à mâcher ses grosses moustaches, et, le poids juste,
c'était le poids juste. Le quatrième jour, il n'y eut plus l'odeur 25
du pain chaud dans le village.

Massot entre-bâilla la porte:

— Alors, ça va la boulange?

— Ça va, dit le boulanger.

— Il chauffe, ce four?   30

— Non.

[9] *Quand on a le cul un peu turbulent* — When you've got ants in your pants.
[10] *il ne fallait . . . marécages* — it was out of the question to talk shepherds
and marshes to her (that is, she would stand for no flirting).

— A cause?

— Repos, dit le boulanger. Il reste encore du pain d'hier.

Puis, il sortit en savates, en pantalon tordu, en tricot flottant. Il alla au cercle. Il s'assit près de la table de zinc, 5 derrière le fusain de la terrasse. Il tapa à la vitre:

— Une absinthe.

Sans cette odeur de pain chaud, et sous le gros du soleil, le village avait l'air tout mort. Le boulanger se mit à boire, puis il roula une cigarette. Il laissa le paquet de tabac là, à 10 côté de lui, sur la table, près de la bouteille de pernod.

Le ciel avait un petit mouvement venant du sud. Au-dessus des toits passait de temps en temps cette laine légère que le vent emporte en soufflant dans les roseaux. Le clocher sonna l'heure. Sur la place, des petites filles jouaient à la marelle 15 en chantant:

> Onze heures!
> Comme en toute heure,
> Le petit Jésus est dans mon cœur.
> Qu'il y fasse une demeure . . .

20 Maillefer arrangeait les montres derrière sa fenêtre. Il avait mis sa pancarte: «Maillefer Horloger»; il aurait dû mettre aussi «pêcheur». La grosse patience (et il en faut pour guetter au long-œil la maladie d'une petite roue) s'était entassée dans lui. On l'appelait «Maillefer-patience». Il attendait une heure, 25 deux, un jour, deux, un mois, deux. Mais, ce qu'il attendait, il l'avait.

— J'attends, je l'ai, il disait.

On l'appelait aussi «Jattenjelai» pour le distinguer de son frère.

30 — Maillefer lequel?

— Maillefer-patience.

Ils étaient patients l'un et l'autre.

— Le jattenjelai.

Comme ça on savait.

Il pêchait de nature. Souvent, en traversant les marais, on voyait comme un tronc d'arbre debout. Ça ne bougeait pas. 5 Même si c'était en mars et qu'un coup de grêle se mette à sonner sur les eaux, Maillefer ne bougeait pas. Il arrivait avec de pleins carniers de poissons. Il avait eu une longue lutte une fois contre un brochet. Quand on lui en parlait maintenant il se tapait sur le ventre. 10

— Il est là, disait-il.

Il avait de grosses lèvres fiévreuses, rouges et gonflées comme des pommes d'amour et une langue toute en sang qui ne perdait jamais son temps à parler. Il ne l'employait que pour manger, mais alors, il la faisait bien travailler, surtout 15 s'il mangeait du poisson, et on la voyait parfois sortir de sa bouche pour lécher la rosée de sauce sur ses moustaches. Il avait des mains lentes, des pieds lents, un regard gluant qui pouvait rester collé contre les vitres, comme une mouche, et une grosse tête, dure, poilue, juste de la couleur du bois 20 de buis.

Un soir, il arriva:

— Je les ai vus, il dit.

— Viens vite, dit César. Et il le tira chez le boulanger.

— Je les ai vus, dit encore Maillefer. 25

— Où? Qu'est-ce qu'elle fait? Comment elle est? Elle a maigri? Qu'est-ce qu'elle t'a dit?

— Patience, dit Maillefer.

Il sortit; il entra chez lui, il vida son carnier sur la table. Le boulanger, César, Massot, Benoît et le Taulaire, tout ça 30 l'avait suivi. On ne demandait rien, on savait que ce n'était pas la peine.

Il vida son carnier sur la table. Il y avait de l'herbe d'eau et puis quatorze gros poissons. Il les compta, il les vira dessus-

dessous; il les regarda. Il chercha dans l'herbe. Il fouilla son
carnier. Il tira à la fin un tout petit poisson bleu de fer à
mufle jaune et tout rouillé sur le dos.

— Une caprille, dit-il. Tu me la mettras sur le gril et, ne
5 la vide pas, c'est une grive d'eau.

Il se tourna vers tout le monde.

— Alors? dit-il.

— Alors, à toi, dit César.

Il raconta qu'étant planté dans le marais, à sa coutume, et
10 juste comme il guettait cette caprille — un poisson rare, et
ça fait des pertuis à travers les oseraies pour aller dans des
biefs perdus, et ça saute sur l'herbe comme des sauterelles, et
ça s'en va sur les chemins comme des hommes pour changer
d'eau — bref, juste comme il guettait cette caprille, il avait
15 entendu, comme dans l'air, une pincée de petits bruits follets.

— Des canards? je me dis. Non, pas des canards. Des râles?
je me dis. Ça pointait et ça roulait pas comme des râles. Non,
pas des râles. Des poissons-chiens? . . .

— Elle chantait, dit le boulanger?

20 — Patience, dit Maillefer, tu es bien pressé!

Oui, il avait entendu une chanson. A la longue, on pouvait
dire que c'était une chanson. Ç'était le grand silence partout
dans le marécage. Il ne pouvait y avoir dans les marais rien
de vivant à cette heure que les poissons, le vent d'été et les
25 petits frémissements de l'eau. Aurélie chantait. Maillefer
pêcha la caprille par un coup spécial du poignet: lancer,
tourner, tirer. Il fit deux, trois fois le mouvement sous le
pauvre œil du boulanger.

Après ça, Maillefer marcha. L'air frémissait sous la chanson
30 d'Aurélie. Il se mit à guetter ça comme le frisson d'une truite
qui sommeille, qui se fait caresser le ventre par les racines
du cresson: un pas, deux pas, ça ne clapote pas sous le pas
de Maillefer, il a le coup pour tirer la jambe et il sait enfoncer
son pied l'orteil premier; l'eau s'écarte sans bruit comme de
la graisse. C'est long, mais c'est sûr.

Il trouva d'abord un nid de pluviers. La mère était sur les œufs. Elle ne se leva pas, elle ne bougea pas même une plume. Elle regarda Maillefer en cloussant doucement. Il trouva après un plonge de saurisson.[11] Les poissons-femmes étaient là au plein noir du trou, avec des ventres blancs, gonflés d'œufs et qui éclairaient l'eau comme des croissants de lune.

Il fit le tour du trou sans réveiller un saurisson.

Il entendait maintenant bien chanter et, de temps en temps, le berger qui disait:

— Rélie!

Et, après ça, il y avait un silence. Maillefer ne bougeait plus, puis, au bout d'un moment, la voix reprenait et Maillefer se remettait à marcher à travers le marais.

— C'est une île, dit-il.

— Une île? dit César.

— Oui, une île.

— Où? dit Massot.

— Dans le gras de l'eau, juste en face Vinon.

Le berger avait monté une cabane avec des fascines de roseau. Aurélie était couchée au soleil, toute nue sur l'aire d'herbe.

— Toute nue? dit le boulanger.

Maillefer se gratta la tête. Il regarda ses poissons morts sur la table. Il y avait une femelle de brochet. Elle devait s'être servie de tout son corps pour mourir. Sur l'arête de son ventre, entre son ventre et le golfe de sa queue, son petit trou s'était ouvert et la lumière de la lampe éclairait la petite profondeur rouge.

— Elle faisait sécher sa lessive, dit Maillefer, pour excuser.

Le boulanger voulait partir tout de suite. C'est César, Massot et les autres qui l'empêchèrent. Rien n'y faisait:[12] ni les plonges, ni la nuit, ni les trous de boue.

---

[11] *plonge de saurisson* — Miss Clarke translates this "herring hole"; *saurisson* is evidently a word invented by Giono.
[12] *Rien n'y faisait* — Nothing could dissuade him.

— Si tu y vas, tu y restes.

— Tant pis.

— A quoi ça servira?

— Tant pis, j'y vais.

5   — C'est un miracle si tu t'en sors.

— Tant pis.

— Tu ne sais pas où c'est.

Enfin, César dit:

— Et puis, ça n'est pas ta place.

10   Ça, c'était une raison. Le boulanger commença à se faire mou dans leurs mains et on arriva à l'arrangement. On enverrait le curé et l'instituteur, tous les deux. Le curé était vieux mais l'instituteur était jeune, et puis, il avait des bottes en toile cirée. Il n'aurait qu'à porter le curé sur ses épaules jusqu'à 15 une petite plaque de terre dure, un peu au delà de la digue. De là, la voix s'entendait, surtout la voix du curé.

— Il est habitué à parler, lui.

L'instituteur irait jusqu'à la cabane. Ça n'était pas pour brusquer. Il fallait faire entendre à Aurélie que c'était bien 20 beau . . .

— C'est bien beau l'amour, dit César, mais il faut qu'on mange.

. . . que c'était bien beau mais qu'ici il y avait un comptoir, du pain à peser, de la farine à mettre en compte, et puis, un 25 homme. . .

— Somme toute, ajouta César en regardant le boulanger, si l'instituteur ne pouvait pas faire seul, il sifflerait et, de là-bas de sa terre ferme, le curé reprendrait l'histoire. En parlant un peu fort, il pourrait faire l'affaire sans se mouiller les pieds.

30   Le lendemain, le curé et l'instituteur partaient sur le même cheval.

A la nuit, l'instituteur arriva.

Tout le monde prenait le frais devant les portes.

— Entrez chez vous, dit-il, et fermez tout. D'abord, c'est

dix heures et, un peu plus tôt un peu plus tard, vous avez assez
pris de frais. Et puis, le curé est en bas près de la croix avec
Aurélie. Elle ne veut pas rentrer tant qu'il y a du monde dans
la rue. Le curé n'a rien porté pour se couvrir. Il commence à
faire froid en bas, d'autant qu'il est mouillé. Moi, je vais me 5
changer. Allez, entrez chez vous et fermez les portes.

Vers les minuit, le boulanger vint frapper chez Mme Massot.

— Tu n'aurais pas un peu de tisane des quatre fleurs?

— Si, je descends.

Elle lui donna des quatre fleurs. Elle ajouta une poignée 10
de tilleul.

— Mets ça aussi, dit-elle, ça la fera dormir.

Le reste fut préparé à volets fermés dans toutes les maisons.

Catherine vint la première, dès le matin. Elle frottait ses
semelles sur la terre parce que ses varices étaient lourdes. Il 15
fallait surtout oublier qu'Aurélie n'en avait pas. De dessus le
seuil, Barielle regardait sa femme Catherine; elle tourna la
tête vers lui avant d'entrer à la boulangerie. Il avait ses mains
derrière le dos mais, on voyait quand même qu'il tenait solidement au manche de pioche. 20

— Bonjour Aurélie.

— Bonjour Catherine.

— Donne-m'en six kilos.

Aurélie pesa sans parler.

— Je m'assieds, dit Catherine. Mes varices me font mal. 25
Quelle chance tu as de ne pas en avoir!

Après ça, Massotte:

— Tu as bien dormi?

— Oui.

— Ça se voit. Tu as l'œil comme du clairet. 30

Puis, Alphonsine et Mariette:

— Fais voir comment tu fais pour nouer ton chignon?

— Seulement, il faut avoir des cheveux comme les tiens.

— Pèse, Alphonsine, si c'est lourd.

— Bien sûr, alors, avec des cheveux comme ça, pas besoin d'épingles.

Vers les dix heures, Aurélie n'était pas encore venue sur le pas de sa porte. Elle restait toujours dans l'ombre de la boutique. Alors, César passa devant la boulangerie. Il croyait être prêt, il n'était pas prêt. Il ne s'arrêta pas. Il fit le tour de l'église, le tour du lavoir et il passa encore une fois. Il s'arrêta.

— Oh! Aurélie!

— Oh! César!

— Et qu'est-ce que tu fais là-bas dedans? Viens un peu prendre l'air.

Elle vint au seuil. Ses yeux étaient tout meurtris. Elle avait défait ses cheveux pour les faire soupeser à Alphonsine et Mariette. Les belles lèvres avaient un peu de dégoût,[13] comme si elles avaient trop mangé de confiture.

— Quel beau temps! dit César.

— Oui.

Ils regardèrent le ciel.

— Une petite pointe de vent marin. Tu devrais venir à la maison, dit César, la femme voudrait te donner un morceau de sanglier.

A midi, le boulanger chargea son four en plein avec des fagots de chêne bien sec. Il n'y avait pas de vent; l'air était plat comme une pierre; la fumée noire retomba sur le village avec toute son odeur de terre, de paix et de victoire.

[13] *avaient un peu de dégoût* — drooped a little bit.

Le Grand Troupeau
(1931)

After four terrible years in the trenches and the loss of his dearest friend in the First World War, Giono became an ardent pacifist, which he remains to this day. The first book in which he expresses his feeling of the utter futility and stupidity of war is his somewhat episodic and disconnected novel Le Grand Troupeau. This is really a triptych in which we have the descent of the sheep from the mountain as the prelude, then the war itself with its alternating scenes of horrible carnage and their tragic repercussions in rural life, followed by an epilogue, the return of the old shepherd to reclaim his ram, once more vigorous and healthy. This visit coincides with the birth of a son to Madeleine and her regained soldier, Olivier.

The opening pages reproduced here form a truly epic scene, one of the most powerful and poignant Giono has ever written, as we watch this apparently endless procession of sheep and lambs coming down from the verdant plateaux and streaming painfully through the little Provençal town. The demoralization of the herd is of course symbolic of the book's tragic theme, reminding us of that other herd of helpless men dragged away to the suffering and exhaustion of war. The concluding scene with its farewell of the old shepherd to his ram has been called by one French critic as beautiful as that of Cyclops to his beast in Canto Nine of the Odyssey.

LE GRAND TROUPEAU

Elle mangera vos béliers,
vos brebis et vos moissons

I

La nuit d'avant, on avait vu le grand départ de tous les hommes. C'était une épaisse nuit d'août qui sentait le blé et la sueur de cheval. Les attelages étaient là dans la cour de la gare. Les gros traîneurs de charrues on les avait attachés dans les brancards des charrettes et ils retenaient à pleins reins des chargements de femmes et d'enfants.

Le train doucement s'en alla dans la nuit: il cracha de la braise dans les saules, il prit sa vitesse. Alors les chevaux se mirent à gémir tous ensemble.

Ce matin-là, la bouchère vint, comme d'habitude, sur le pas de sa porte pour balayer le ruisseau; le cordonnier était déjà là, les mains dans sa poche de ventre à regarder, à renifler, il bougeait la tête de temps en temps comme quand on chasse une mouche.

— Rose, il lui dit, tu as su l'affaire?

— Quelle affaire, dit Rose? Et elle resta, le balai en l'air.

L'atelier du cordonnier, la boucherie, c'est du même côté de la rue et porte à porte. Le cordonnier fit un petit pas de
5 côté comme pour la danse, et rien que ça il vint, tout près de Rose.

— Tu as vu le Boromé, il dit?

— Lequel?

— Comment lequel? Pas le jeune, sûr, tu sais bien qu'il est
10 parti avec les autres; le vieux, mon collègue.

— Non.

— Moi, il vient de venir, c'est de ça que j'en suis sorti; il a poussé ma porte, il a fait: «Oh!» J'ai dit: «Oh Boromé.» Il m'a dit: «Tu as fait ce café?» Alors il a pris le café avec moi.
15 Il paraît que du côté du Plan des Hougues (le Boromé n'a pas pu dormir de ce que son fils est parti et il est allé marcher en colline toute la nuit), il paraît que du côté du Plan des Hougues il a vu au ras de la terre une roche toute fraîchement délitée. «Elle est comme neuve, il m'a dit; dessus cette roche
20 on a l'air d'avoir affouillé la terre, pas exprès, mais en passant dessus à beaucoup;[1] pas des hommes, des bêtes, comme un grand troupeau, avec des pieds durs et une fois la terre usée la pierre s'est montrée.» Il m'a dit ça. Et sur cette pierre, on lit, gravé dessus, un triangle avec des pointes et puis un rond
25 avec une flèche collée.

Rose n'a pas bougé ses pieds, elle s'est reculée du buste et elle regarde le cordonnier d'un peu loin, avec des yeux de poule.

— Tu me fais peur! elle dit.

Le clocher sonna huit heures; et le jour était sans change-
30 ment, le soleil descendait, comme tous les matins sur la pente des toits de la maison d'Alic.

[1] *en passant dessus à beaucoup* — by lots of them passing over it.

Avant de sortir, là-bas en face, l'épicière renversa une chaise et des boîtes de conserves, ça voulait dire qu'elle était pressée parce que, grosse comme elle est . . .

Et sans prendre respiration, elle appela, comme une qui se noie:

— Rose! Père Jean! Vous ne sentez pas?

Ils donnèrent deux ou trois pompées de nez avant de répondre:

— Quoi?

— Sentez, dit l'épicière, puis elle traversa la rue.

— Vous avez le nez bouché, donc! Moi, j'étais à mon second là-haut,[2] voir ce qui me restait de sucre; dès que j'ai ouvert le fénestron, cette odeur m'a sauté à la figure comme un chat. J'en ai eu chaud sur les joues, que j'en suis encore toute rouge.

— Maintenant, je sens, dit le cordonnier.

— Moi aussi, dit Rose, et elle se recula encore du buste pour regarder l'épicière et le cordonnier du haut de sa tête.

C'était une odeur de laine, de sueur et de terre écrasée; ça remplissait le ciel.

— Qu'est-ce que c'est ça?

— Je me le demande, dit le cordonnier.

Ils levèrent les yeux au ciel, tous les trois ensemble, parce qu'une ombre venait comme d'effacer le jour: au-dessus des toits un large étendard de poussière passait devant le soleil.

Et alors ils entendirent le bruit.

Cela faisait comme une belle eau qui coule, une eau épaisse lâchée hors de son lit et elle semblait sonner dans tous les ressauts de la terre et du ciel à gros bourdon de cloches. Ça avançait, les cloches et le bruit d'eau et, par instants, la poussière passait là-haut en paquets de nuages et le jour de la rue devenait roux-muscat, roux comme du jus de raisin et enfin arriva, déployé dans la fumée du ciel, un vol de gémissements

---

[2] *j'étais à mon second là-haut* — I was up there on my third floor.

et de plaintes, comme le gémissement des chevaux la nuit d'avant.

Père Jean regarda Rose et l'épicière: il mâchait de gros flocons de sa barbe blanche, puis il crachait les poils coupés.

5 — Ah! moi, je vais voir, il dit.

— Attendez-nous, on y va aussi.

Rose lâcha le balai, l'épicière boutonna son caraco. Ils descendirent la rue tous les trois.

Et Malan, le retraité, descendait aussi la rue en courant;
10 il était en bras de chemise et rasé d'un côté, une joue nette, une joue savonnée et, tout en courant, il tournait la tête et il regardait en l'air comme un qui s'enlève de devant une nue d'orage.

La route de la montagne passe devant le bourg. Là, elle fait
15 un coude, un beau détour autour d'une fontaine, puis elle s'en va vers les plaines où de ce temps on voit trembler le chaud.

A ce coude-là, il y avait déjà tous les vieux du «Cercle des Travailleurs,» la buraliste avec ses yeux de sang et puis des femmes, et puis des petits qui tenaient les jupes des femmes à
20 pleines mains. Le vieux Burle ouvrit sa fenêtre: il était malade, en chemise de lit et un cataplasme de papier gris sur la poitrine; mais il ouvrit sa fenêtre toute grande, il huma l'air et il resta là.

A en juger par le bruit, la chose venait du côté de la montagne et même elle était déjà dans le bourg, là-bas, dans le
25 quartier Saint-Lazare; les maisons fumaient de poussière comme si elles s'écroulaient dans leurs gravats.

— Trop beau, je dis, dit le cordonnier, et puis c'est venu le temps de la pourriture. La vigne est pourrie: une tache sur la feuille comme un doigt sale et tout se sèche.

30 Sa bouche resta ouverte au fond de sa barbe pour d'autres mots. On entendait maintenant des cloches et des sonnettes et, à ras de terre, un bruit de pieds et, à hauteur du ventre, un bruit de bêlements et de cris d'agneaux.

— Burle, qu'est-ce que tu en dis, appela Malan?

— Des moutons, dit Burle. Il parlait rare, en écrasant son mal de poitrine entre ses vieilles dents. Des moutons, mais jamais de ma vie un tel bruit . . .

Un vol de grosses mouches sonna dans le feuillage des ormes comme de la grêle. Un nuage d'hirondelles et qui portait des pigeons perdus dévia son ventre blanc dans le ciel et passa en grésillant comme de l'huile à la poêle.

— La pourriture, dit le cordonnier. Sur la Durance, il y a des îles de poissons morts. Si tu en prends, ça te coule dans les doigts en boue d'écailles et de pourriture.

La laitière Babeau qui était juste devant lui, à attendre comme tous, se tourne un peu de côté.

— C'est dans l'air, elle dit. Et hier soir, tu as vu?

— Oui! et toi?

— Oui! De retour de la gare, je me suis fraîchie au pas de la porte; j'avais la peau brûlante de tout ça. Alors, j'ai vu, de là-bas jusque-là, une grande chose de lumière, ça semblait une patte de canard.

— Ça semblait une grande feuille d'armoise tout en or, dit le cordonnier.

Mais maintenant, tout l'air tremblait et on ne pouvait plus parler.

Alors, on vit arriver un vieil homme et, derrière lui, la tête d'un troupeau.

— Sainte Vierge! dit la laitière.

— Il est fou celui-là! cria Burle.

Il y avait le gros soleil et la poussière, et l'épaisse chaleur sur les routes si difficile à trouer d'un pas d'homme ou de bête; ce soleil comme une mort! . . .

Le cordonnier dit dans sa barbe:

— La guerre! C'est cette guerre qui les fait descendre.

Du coup, autour de lui, on ferma la bouche, et Burle même comprit là-haut et les autres comprirent, tout seuls.

Les cœurs se mirent à taper des coups sourds un peu plus vite. On pensait à cette nuit d'avant qui sentait trop le blé. Oui, trop le blé. Et quelle vague de dégoût à sentir cette odeur de blé, à voir les petits enfants dans les bras des femmes, 5 à voir ces jeunes femmes, toujours bien pleines de plaisir, sur leurs deux jambes; à comprendre tout ça, en même temps que les beaux hommes partaient dans le gémissement des chevaux.

Devant les moutons, l'homme était seul.

Il était seul. Il était vieux. Il était las à mort. Il n'y avait 10 qu'à voir son traîné de pied, le poids que le bâton pesait dans sa main. Mais il devait avoir la tête pleine de calcul et de volonté.

Il était blanc de poussière de haut en bas comme une bête de la route. Tout blanc.

15 Il repoussa son chapeau en arrière et puis, de ses poings lourds, il s'essuya les yeux; et il eut comme ça, dans tout ce blanc, les deux larges trous rouges de ses yeux malades de sueur. Il regarda tout le monde de son regard volontaire. Sans un mot, sans siffler, sans gestes, il tourna le coude de la route 20 et on vit alors ses yeux aller au fond de la ligne droite de la route, là-bas, jusqu'au fond et il voyait tout: la peine et le soleil. D'un coup de bras, il rabaissa le chapeau sur sa figure, et il passa en traînant ses pieds.

Et, derrière lui, il n'y avait pas de bardot portant le bât, 25 ni d'ânes chargés de couffes, non; seulement, devançant les moutons de trois pas, juste après l'homme, une grande bête toute noire et qui avait du sang sous le ventre.

La bête prit le tournant de la route. Cléristin avait mis ses lunettes. Il plissa le nez et il regarda:

30 — Mais, c'est le bélier, il dit, c'est le mouton-maître. C'est le bélier!

On fit oui de la tête tout autour de lui. On voyait le bélier

qui perdait son sang à fil[3] dans la poussière et on voyait aussi
la dure volonté de l'homme qui poussait tous les pas en avant
sur le malheur de la route.

Cléristin enleva son chapeau et se gratta la tête à pleins
doigts. Burle se pencha hors de sa fenêtre pour suivre des
yeux, le plus loin qu'il pouvait, ce bélier sanglant. Il avait été
patron berger dans le temps. Il se pencha, son cataplasme se
décolla de ses poils de poitrine.

— C'est gâcher la vie, il disait, c'est gâcher la vie . . .

Enfin, il remonta son cataplasme, il se recula et il ferma sa
fenêtre avec un bon coup sur l'espagnolette.

Le vieux berger était déjà loin, là-bas dans la pente. Ça
suivait tout lentement derrière lui. C'étaient des bêtes de taille
presque égale serrées flanc à flanc, comme des vagues de boue,
et, dans leur laine il y avait de grosses abeilles de la montagne
prisonnières, mortes ou vivantes. Il y avait des fleurs et des
épines; il y avait de l'herbe toute verte entrelacée aux jambes.
Il y avait un gros rat qui marchait en trébuchant sur le dos
des moutons. Une ânesse bleue sortit du courant et s'arrêta,
jambes écartées. L'ânon s'avança en balançant sa grosse tête,
il chercha la mamelle et, cou tendu, il se mit à pomper à pleine
bouche en tremblant de la queue. L'ânesse regardait les hommes
avec ses beaux yeux moussus comme des pierres de forêt. De
temps en temps elle criait parce que l'ânon tétait trop vite.

C'étaient des bêtes de bonne santé et de bon sentiment, ça
marchait encore sans boiter. La grosse tête épaisse, aux yeux
morts, était pleine encore des images et des odeurs de la montagne. Il y avait, par là-bas devant,[4] l'odeur du bélier maître,
l'odeur d'amour et de brebis folle; et les images de la montagne.
Les têtes aux yeux morts dansaient de haut en bas, elles flottaient dans les images de la montagne et mâchaient doucement

[3] *qui perdait son sang à fil* — whose blood was flowing in a steady stream.
[4] *par là-bas devant* — over there in front.

le goût des herbes anciennes: le vent de la nuit qui vient faire
son nid dans la laine des oreilles et les agneaux couchés comme
du lait dans l'herbe fraîche, et les pluies! . . .

5   Le troupeau coule avec son bruit d'eau, il coule à route
pleine; de chaque côté il frotte contre les maisons et les murs
des jardins. L'ânon s'arrête de téter, il est ivre. Il tremble sur
ses pattes. Un fil de lait coule de son museau. L'ânesse lèche
les yeux du petit âne, puis elle se tourne, elle s'en va, et l'ânon
marche derrière elle.

10   Vint un autre bélier, et on le chercha d'abord sans le voir;
on entendait sa campane, mais rien ne dépassait les dos des
moutons et on cherchait le long de la troupe. Et puis on le
vit: c'était un mâle à pompons noirs. Ses deux larges cornes
en tourbillons s'élargissaient comme des branches de chêne.

15   Il avait posé ses cornes sur les dos des moutons, de chaque côté
de lui et il faisait porter sa lourde tête; sa tête branchue flottait sur le flot des bêtes comme une souche de chêne sur la
Durance d'orage. Il avait du sang caillé sur ses dents et dans
ses babines.

20   Le détour de la route le poussa au bord. Il essaya de porter
sa tête tout seul, mais elle le tira vers la terre, il lutta des
genoux de devant, puis s'agenouilla. Sa tête était là, posée sur
le sol comme une chose morte. Il lutta des jambes de derrière,
enfin il tomba dans la poussière, comme un tas de laine
25   coupée. Il écarta ses cuisses à petits coups douloureux: il avait
tout l'entre-cuisse comme une boue de sang avec, là-dedans,
des mouches et des abeilles qui bougeaient et deux œufs rouges
qui ne tenaient plus au ventre que par un nerf gros comme
une ficelle.

30   Burle était revenu à sa fenêtre, derrière ses vitres; on lui
voyait bouger les lèvres:

— Gâcher la vie! Gâcher la vie!

Et Cléristin se parlait à voix haute. Il ne disait rien à
personne, il parlait comme ça, devant lui, pour rien, pour

vomir ce grand mal qui était en lui maintenant du départ de
ses fils sur l'emplein des routes.

— Savoir ce qu'on va faire,[5] il disait? On n'est pourtant pas
de la race des batailleurs! Et mon jeune, tout blanc-malade!
Et mon aîné et ses pieds tendres! Et tout ça avec ses infirmités
du dedans, des choses qu'on ne sait pas... C'est pas de
juste!...[6]

Il avait gardé son chapeau à la main et on voyait bien ses
yeux mouillés, verts et moussus, comme les yeux de l'ânesse
partie dans le troupeau.

De temps en temps une grosse cloche sonnait ou bien une
grappe de clochettes claires, et c'était une mule, ou un âne,
ou un mulet, ou même un vieux cheval; ça n'avait plus le
marcher dansant des hautes bêtes, mais ça allait, pattes rom-
pues, avec de l'herbe et de la terre dans le poil et des plaques
de boue sur les cuisses.

Parfois, ça devait s'arrêter, là-bas, au fond des terres où
s'était perdu le berger... L'arrêt remontait le long du troupeau, puis ça repartait avec un premier pas où toutes les bêtes
bêlaient de douleur ensemble.

Le bruit de cloches des mulets et des ânes diminua au fond
de la route: il ne resta plus que le roulement monotone du
flot, et le bruit de la douleur...

Alors, quelqu'un dit:

— Ecoutez!

On écouta. C'était là-haut, au fond du ciel, le clocher,
étouffé de poussière, qui essayait de sonner midi.

La bouchère met le couvert; elle lance les assiettes au hasard
sur la table; elle a aux lèvres sa moue de petite fille, et, de
temps en temps, elle renifle.

[5] *Savoir ce qu'on va faire* — what in the world are we going to do.
[6] *C'est pas de juste!* — It just isn't right!

Le petit garçon monte sur sa chaise:

— Tire-toi par ici, dit la bouchère.

Elle avait déjà essayé de cacher la place vide avec le pot-à-eau et la bouteille.

5 — Tire-toi, et puis, non! laisse la place; puis non, va, tire-toi, fais comme tu veux.

Elle s'en va à l'évier prendre des verres et elle y reste, le visage tourné vers le mur, un bon moment, immobile . . .

— Mangez, mère, dit Rose.

10 Mais la mère fait «Non» avec la tête et elle dit:

— Qui sait où ils sont maintenant?

Dehors, le grand troupeau coule.

— Ils ne doivent pas être bien loin, dit Rose. Il faut qu'on les habille, qu'on leur donne toutes leurs affaires, et le fusil, 15 et les cartouches; et puis, il faut qu'on les habitue encore à tirer du fusil, on n'est pas obligé de savoir qu'il sait.

— Il n'a qu'à dire qu'il ne sait pas.

— Oh mais oui, dit Rose, c'est pas facile, c'est tout écrit ici à la Mairie, et qu'il prend son permis de chasse, et tout le 20 reste. Il vaut mieux qu'il dise rien, qu'il dise comme les autres. Et puis, des pères de famille, on peut pas les jeter tout d'un seul coup; on y mettra ceux qui sont pas mariés d'abord, puis ceux qui ont pas d'enfants, puis ceux qui n'ont pas de commerce; nous, il est marié, il a un enfant, on a un commerce, 25 alors . . . Et puis, d'ici-là . . . Le pharmacien dit que, pour la Toussaint, au plus tard, au plus tard . . . A mon idée, avant, ça aura tourné d'une façon ou de l'autre . . . Mangez, mère!

— Non, dit la mère, ça s'arrête à mon gosier. Que ça tourne comme ça voudra, mais que ça finisse!

30 Cléristin était resté là au bord du troupeau à se gonfler de douleur, à boire de la douleur comme un goulu.

— Qu'est-ce que j'irai faire à la maison? Je suis seul, moi, maintenant.

Il avait appelé la boulangère:

— Amélie, donne-moi un bout de pain et marque-le sur le compte.

Il n'avait pas osé manger. Il était là avec le pain dans son poing.   5

Les moutons passaient toujours, mais lentement.

Les bêtes maintenant étaient malades. On n'en pouvait plus de cette longueur de troupeau, de tout ce mal, de toute cette vie qu'on usait sur la route.

Il y avait du sang sous tous les ventres. Il y avait de ces   10
éternuements qui laissaient la bête toute étourdie par la secousse de la tête. On disait:

— Tombe ou tombe pas?

Non, elle repartait sur ses jambes raides comme du bois.

Le bélier était toujours là par terre, les jambes écartées. Le   15
sang s'était mis à couler de lui; toute sa laine basse, mouillée de sang, défrisée, lourde, pendait comme une mousse sous une fontaine. Il ne se plaignait pas; il respirait de toutes ses forces et le souffle de ses naseaux avait creusé deux petits sillons dans la poussière.   20

Maintenant, un autre berger était là. Arrêté au coude de la route, il regardait passer les moutons. Il avait dû, tout à l'heure, pousser les ouailles du genou pour sortir du flot qui l'emportait. Il s'était essuyé le visage; il rayonnait de sueur comme un saint; tassé sur son bâton, il regardait l'au-delà.   25

Le lit de Burle, là-haut, est près de la fenêtre. On voit Burle qui se lève, il passe ses pantalons de velours, il arrange son cataplasme, il boutonne sa chemise par-dessus.

Au bout d'un moment, la porte du corridor s'ouvre; Burle sort. Il est pieds nus, il appuie sa main gauche toute ouverte   30
sur sa poitrine; de sa main droite il porte une chaise. Il vient toucher l'épaule du berger.

— Voyez, il dit, brave homme, vous ne pouvez pas de-meurer droit tout le temps, prenez la chaise.

L'autre reste dans son au-delà. Il s'assoit. Il met son bâton devant lui, entre ses jambes, croise ses paumes sur la crosse et, le menton au dos des mains, il baisse sa tête sous le soleil.

— Si tu en juges par la grosseur, disait le cordonnier revenu,
5   si tu en juges par l'épaisseur, parce que ça c'est comme une eau de ruisseau ou de fleuve, ce troupeau en est à peine en son milieu. Alors, pense un peu que, depuis huit heures de ce matin, il est là à couler, pense un peu qu'avec celui-là qui dort sur sa chaise et l'autre, là-bas devant, le premier, ça fait deux
10 hommes en tout, pour tout ça. Pense qu'on a pas vu de chien, guère d'ânes et puis, dis-moi si ça n'est pas la marque qu'on est entré dans les temps maudits?

Et Cléristin regardait aussi l'au-delà des bêtes, l'écriture de la chose, ce que le grand troupeau écrivait en lettres de sang
15 et de douleur, là, devant eux, au blanc de la route.

— Je suis allé jusqu'au bout des arbres. On voit la vallée de l'Asse. Ça sort de là-haut. Toute la montagne fume comme is on y avait mis le feu. Et puis, tu entends le tonnerre?

Du côté de la montagne, un orage cassait le ciel comme
20 avec des marteaux de fer.

Maintenant, les brebis qui passent viennent à peine d'émerger de la pluie. Elles sont lourdes d'eau. Elles vont à petits pas, en creusant d'abord leur place dans l'air à coups de tête. Un homme marche au milieu d'elles, il est tout ruisselant d'eau.
25 Il porte un agnelet abrité sous sa veste. Il appelle celui-là qui est assis:

— Antoine! Antoine!

L'autre ne relève pas la tête. Il reste là, caché sous son grand chapeau. De sa main droite seulement il fait signe:
30 — Va, va . . .

Et le bélier vient de mourir. Il a relevé d'un seul coup sa lourde tête branchue, comme sur un ordre; il a regardé le ciel d'entre les branches de ses cornes: un long regard interminable. Le cou tendu, il a eu un petit gémissement d'agneau; il a

écarté les cuisses, étiré les jambes; il a lâché un paquet de sang
noir et de tripes avec un bruit de ballon qui se crève.

II

Au moment d'allumer la lampe, la bouchère dit:

— Mère, pour cette nuit, vous devriez coucher avec moi.
D'être seule . . .   5

Elle n'a pas besoin de finir sa pensée, elle a appuyé ses
grosses lèvres humides un peu plus longtemps sur le mot:
«seule» . . .

Ainsi, la mère a pris la place du fils le long de la femme.
L'empreinte de celui qui est parti est marquée dans le matelas;   10
la mère s'est allongée là, dans ce trou, à la mesure de son fils.
Et, côte à côte, les deux femmes, sans rien dire, ont écouté le
bruit du troupeau dans la nuit. Toujours. Comme si la montagne voulait s'assécher de bêtes vivantes.

Il y a eu un petit moment de calme, venu on ne sait d'où,   15
et les deux femmes ont bu un sommeil douloureux, tout gris.
Puis la mère s'est éveillée en sursaut:

— Ecoute, elle a dit.

— Quoi? a dit Rose.

— Quelqu'un se plaint.   20

On n'entend plus le bruit des moutons, mais, comme un
gémissement d'enfant, un appel à la mère que les deux femmes
reçoivent au plein du cœur. Elles sautent du lit:

— Prends la bougie. Allume.

— Mère, regardez, ça ne serait pas le petit qui aurait les vers?   25

— Non, Rose, ça vient d'en bas de la rue.

— A cette heure? dit Rose.

Mais, c'est bien un appel à la mère:

— Ma ma . . .

— Oui! répondent les deux femmes, et les pieds nus claquent   30
dans l'escalier.

— Attendez!

Le verrou est dur. Rose y meurtrit la paume grasse de ses mains et ses seins sautent dans sa chemise.

— Là. Abritez la bougie.

5   La nuit sent le mouton.

— Il pleut, mère?

— Non, c'est de la terre. C'est la poussière de ce troupeau qui retombe.

Ce qui pleure, ce qui appelle maman est là, sur les pavés,
10   une petite tache blanche. Rose s'agenouille à côté. C'est un agneau; un agnelet boueux et tremblant, un agnelet à tête lourde, perdu dans le monde.

— Mère, c'est un agneau perdu.

Rose le prend dans ses bras nus; il a mis son petit museau
15   humide au creux du coude.

— Bête, bête, chante doucement la bouchère, et avec le pointu de ses lèvres le bruit des petits baisers. Bête!... Regardez-le, le pauvre!

— C'en est un qui tette encore, dit la mère.

20   Rose frissonne sous le souffle de cette petite bête, là, au pli de son coude.

— Je crois qu'on peut les élever avec des biberons d'enfants, elle dit.

L'agneau n'appelle plus, il cherche le chaud des bras; il se
25   tasse au chaud de la chair. Il ferme les yeux, il les ouvre pour voir si les bras sont toujours là et il a de longs frissons heureux dans son échine. Il pousse sa tête dans les seins de Rose, elle rit:

— C'est sec, elle dit. Ah! Si j'avais encore du lait, je t'en donnerais, j'en ai plus. Mère, il faudra penser à en prendre
30   un litre de plus demain.

— Viens, dit la mère, on rentre, on est là toutes deux en chemise.

— Oui mais, dit la bouchère, allez ouvrir le couloir. On ne

peut pas le faire passer par le magasin. C'est plein de viande, ça sent le sang, il aurait peur.

A l'aube, Clara ouvrit les portes de son petit café, au tournant de la route. Au milieu du carrefour vide, il y avait une chaise toute seule. Le troupeau était tari, le berger parti, un 5 chien léchait, à grands coups de langue, le sang du bélier.

Vers les cinq heures du matin, arriva le vieux Sauteyron, de la ferme Saint-Patrice. Il menait le cheval à la réquisition.[1]

— Clara! il cria, donne-moi quelque chose de fort.

Elle vint au seuil, avec un verre et la bouteille de fine: 10

— Tu es bien pâle! elle dit . . .

— Y a de quoi,[2] dit le vieux, c'est plein de moutons morts sur la route.

Le cheval regardait l'aube verte. Il secouait la tête, comme pour chasser un taon, et il gémissait doucement sur son mors. 15

Aux Gardettes, de l'autre côté du vallon, la lampe brûlait toujours dans les branches du figuier. Elle n'avait donc plus son sens d'économie, la Delphine: le milieu de la nuit allait passer! Et son père: le vieux vert avec sa bouche propre . . .

Malgré le tard ils étaient là, dessous la lampe du figuier 20 autour de la table desservie: la Delphine, le papé et Olivier le jeune. Ils ne parlaient pas; il y avait avec eux ce berger de devant les bêtes, sorti de l'ombre, sorti de la nuit tout à l'heure, blanc de poussière comme une cigale sortie de la route.

La nuit est tant usée d'étoiles qu'on voit la trame du ciel. 25

— Quarante heures, a dit le berger, quarante heures d'un seul tenant, comme un fil de sabre.

[1] *à la réquisition* — Because of the war, horses were requisitioned by the army.

[2] *Y a de quoi* (for *il y a de quoi*) — There is good reason for it.

— Et ça fait trop, a dit le papé.

— Il n'y a faute de personne, a dit le berger, c'est la faute au sort.

— Faute ou pas faute, a dit le papé, c'est quand même trop
5   de souffrances pour les bêtes.

Et maintenant, ils fument leurs pipes.

— Ça nous a pris le premier jour, dit le berger, le regard lancé dans la nuit. On était dans les hautes pâtures, par un temps comme jamais. Les herbes, c'était comme de la nouvelle
10 mariée, toutes en fleurs blanches et du rire d'herbe qui luisait sur des kilomètres. Et voilà que je vois, sur l'étage de la montagne, en dessous de moi, deux hommes bleus qui marchaient en plein foin, en plein, au beau milieu du plus gras, comme ceux qui s'en foutent.[3] Ça, je me dis, ça c'est les bleus de la
15 gendarmerie de Saint-André: l'Alphonse a dû avoir encore un coup de revertigot avec la femme de la passerelle; et de fait, ils allaient chez l'Alphonse. Ils y vont, ils le touchent juste de la voix, sans s'approcher, et c'est mon Alphonse qui va à eux. Après ça ils descendent le val, ils remontent vers le logisson du
20 Bousquet. «Ça, je me dis, ça alors, celui-là, c'est pourtant un calme!» De là, ils vont vers le Danton, puis vers l'Arsène et puis, ils tournent la montagne vers les pâtures de l'autre versant. On voyait tout le serpentement de leur chemin marqué dans nos herbes. L'Alphonse avait parqué ses bêtes. Il s'en alla
25 sous le cèdre. Je le voyais là-bas, debout, la tête renversée en arrière, comme s'il buvait à une bouteille: il sonnait de la trompe. Le son vint me trouver dans mes herbes. Et puis, j'entendis sonner le Bousquet et le Danton, et l'Arsène, et sur l'autre versant, toutes les trompes sonnaient.

30 Alors, sans savoir, je me mis à souffler moi aussi à pleine

---

[3] *deux hommes . . . qui s'en foutent* — two men in blue uniform, walking right through the hay, right through the thickest part, as if they didn't give a damn.

bouche, et, malgré le beau jour et le rire de toutes les reines des prés, je sonnai comme pour la mort du chien.

Vint l'après-midi. Je voyais les hommes réunis sous le sapin 34. Je me disais: «Qu'est-ce qui t'a pris, à toi, de monter ici aujourd'hui, tu serais en bas en train de savoir . . .»[4]   5

Mais, voilà qu'un d'en bas, que j'ai su être ensuite le Julius d'Arles, sort de l'ombrage et là, au beau clair, se plante des pieds et sonne vers moi le long son d'appel à trois coups, celui qui dit: «Viens tout de suite!»

Alors, d'un bon coup de sifflet, je jetai toutes mes bêtes dans   10
la pente.

Sous l'arbre, les paquets étaient prêts, et les amis m'ont dit: «On part!» J'ai dit: «Ici l'herbe est belle.» On m'a répondu: «Oui, mais on part à la guerre!»

Il tette sa pipe pour laisser s'endormir son cœur, pour laisser   15
passer un peu le souvenir de ce moment où la terre s'est mise
à trembler.

. . . On est resté trois: l'Antoine de Pertuis, ce Julius que je disais, et moi. Trois, trop vieux pour faire des soldats. Trop vieux aussi, disait l'Antoine, pour faire l'accompagnement   20
solide de tous les troupeaux réunis entre nos mains. Et, au soir, les jeunes ont chargé les sacs sur leurs épaules; ils sont partis; on était seuls. Il y avait tellement de moutons sur la montagne qu'on ne voyait plus l'herbe. Alors, on a discuté tous les trois. La nouvelle nous pesait dans le cœur. On a discuté le pour   25
et le contre. On a mis toute la nuit, on a fumé tout ce qui nous restait de tabac. On s'est mis d'accord et on est parti, moi en tête. On devait avoir devant nous un bruit d'une belle épaisseur. Quand on traversait des villages, les femmes et les vieux étaient en ligne, au bord des routes, pour nous regarder passer. On   30

[4] *tu serais en bas en train de savoir . . .* — if you had stayed down below you would know what is going on.

arriva en plaine. Et c'est là qu'une femme a fait plus de cinq
kilomètres avec un agneau dans ses bras. Elle est venue à ma
hauteur. Elle m'a dit: «Homme, c'est ici le bout de ma route.
Pas plus loin d'un mètre. Mais, cette bête-là que j'ai ramassée
5   dans ta troupe, si je la pose par terre, elle va mourir. Arrête-toi!»
J'ai dit «Non» et puis j'ai dit: «Pose-la.» Au bout d'un petit
moment, j'ai tourné la tête, l'agneau était couché sur le talus;
la femme courait comme une dératée dans les labours. Alors
j'ai crié: «Femme! Femme!...» Elle était trop loin. Elle
10   n'a pas entendu.

C'est à partir de là que j'ai vu clair et j'ai pensé à toute la
douleur qui venait. Et j'y ai pensé, patron, je te le dis, tant
fort, que ça m'a brûlé; quand j'ai été desséché comme un
charbon, j'ai dit: «A la charité du monde!»
15   Il dresse dans la nuit sa main ouverte large comme une
feuille de platane.

Du fond du vallon monte un aboi de chien et une voix
d'homme.

— C'est moi qu'on cherche, dit le berger, et il crie son nom
20   et «ici!»

— Où? répond la voix.

— Monte à la lampe, crie le berger.

Au bout d'un moment, l'homme s'est avancé dans le halo
de la lampe, et, approché, on a vu un petit vieux, tout empoissé
25   de terre grasse et d'herbe, un qui a dû se coucher n'importe
où pour reprendre haleine. Un chien bleu le suit.

— Salut Julius, dit le berger.

L'autre fait «Ah!» et il tombe assis sur le banc. Le papé a
cligné de l'œil à Delphine. Elle est allée à la maison, elle est
30   revenue avec un pain, un litre de vin et un verre.

— La soupe est froide, tu comprends, dit le papé, alors
compagnon on va te la faire chauffer, en attendant profite.[5]

---

[5] *en attendant profite*— in the meantime, start eating.

Julius a mis les deux mains pour soulever son verre; le verre est là, caché dans les deux grosses mains rousses et il boit comme ceux qui boivent aux fontaines.

— Encore un coup?

— Verse, mais vous permettez?

Il a sorti son couteau de corne. Il coupe dans le pain une tartine épaisse comme le bras, il la trempe dans le vin et il la donne au chien.

Le papé fume à grands coups précipités.

— Tabac?

Julius sort sa pipe. Et puis non, il la quitte d'un coup sur la table. Il met la main à l'épaule du berger.

— Je suis venu te voir, Thomas, je suis venu pour toi. J'ai la mort dans le ventre. C'est de la folie. On n'en peut plus. Il faut aller plus doucement. Pense aux bêtes. Devant, tu as les saines; devant, tu as le clair de la route; nous on est en plein malheur: ça meurt, ça meurt. On n'en ramènera pas un seul. On leur demande trop à ces corps. Ça n'a pas été fait pour ça. Ah! Thomas, l'ombre et puis la fraîcheur, et puis le repos d'un chacun, et la vie des jours d'avant . . .

Les grillons chantent. Rien ne bouge, la nuit est une grande paix pleine d'étoiles.

— Faut plus penser aux jours d'avant, dit Thomas, on est entré en pleine saloperie. Tu crois que je suis en pierre, moi? Tu crois que je ne vois pas les yeux de ceux qui nous regardent quand nous passons dans les villages? Je m'enfonce sous mon chapeau. Tu crois que je ne sais pas? J'ai des oreilles pour entendre. Ecoute.

Il se tait. On n'entend d'abord que les grillons, puis, au fond de la nuit, ronfle la plainte sourde des moutons.

Julius souffle un grand soupir.

— Ça sera pour repartir, il dit. Le tout est de savoir si elles auront la volonté.

— Au point où ça en est, dit Thomas, c'est comme de l'eau

dans une pompe: un se lèvera, et les autres se lèveront; un marchera et les autres marcheront derrière.

Au grand jour, dans le plein matin, on vit bien toute l'étendue de ce troupeau. Il était là, dans le val, comme de la crème
5   de lait: il était sur les collines; il était là-bas dans les graviers de la Durance d'où montait le fil bleu d'un feu de garde.

Arrêtés au versant du coteau, les trois hommes regardaient: Julius allait partir à son poste; le papé faisait aller son regard tout le long de ce flot de bêtes. Thomas regardait, droit devant
10   lui, l'âme de son troupeau; il la voyait dans le fond du ciel.

— Adieu! dit Julius.

— Adieu! dit Thomas.

Puis, le papé et Thomas descendirent dans le vallon. Le grand bélier-maître était couché à l'écart sous un chêne-vert.
15   Il avait saigné sur le thym et sur les petites sariettes tendres. Ses cornes étaient emmêlées à l'herbe. Il se plaignait. Sa langue pendait dans la terre, sèche comme une pierre. Il était couvert de mouches et d'abeilles.

Thomas chassa les mouches à coups de chapeau, puis il
20   tâta les reins de la bête; il fit jouer le ressort des jambes. Il toucha doucement la blessure d'entrecuisses. La bête ne se plaignait pas; elle regardait l'homme à pleins yeux.

— Patron, dit Thomas, je vais te demander quelque chose: sauve mon bélier. Avec son courage, il va se redresser, il va
25   marcher, qui sait! cent mètres, mille? (parce qu'au fond, je ne connais pas le courage de cette bête); puis il tombera, il restera pour mourir sur le talus de la route. Sauve-le; on peut encore. Prends-le, monte-le à ta ferme, soigne-le. Et, quand les temps auront passé, si je suis encore en vie, je reviendrai
30   le chercher.

— Ça, j'en suis capable, dit le papé. Et, merci, berger, de m'avoir fait voir ta pitié avant de partir.

Thomas tira son chapeau sur ses yeux.

— Je te l'ai dit, on n'a plus de ressource qu'en la charité
35   du monde.

— Attends, dit le papé, je vais chercher la brouette, ça sera
plus facile pour le porter.

Ce fut le berger qui mit le foin au fond de la brouette et un
vieux sac, puis on chargea le bélier.

— Fais bouillir de l'aigremoine, dit Thomas, et puis, lave-   5
lui le dedans des cuisses. Puis, tu feras une pâte de soufre et
d'huile vierge pour les endroits où ça saigne. Deux fois par jour;
mais, je le connais, il a autant besoin d'amitié que de remèdes.
Il sera vite sur pied avec toi.

Il mit sa main au front de la bête et il gratta doucement, sous   10
les poils, d'un petit gratté léger d'amitié. Le bélier regarda
l'homme, puis en tremblant des babines, il ronfla le grand mot
d'amour des béliers.

— N'aie pas peur, dit le berger, je te laisse chez un bon
homme. Ah! si je m'en vais, mon bel Arlésien,[6] c'est que le   15
destin tire ma veste, va, sans ça, on serait resté ensemble
jusqu'au bout de la vie. Je te demande une chose, arlaten,[6]
sois brave avec cet homme, ne lui mets pas le désordre dans
son étable; ne choisis pas l'herbe, ne te couche pas dans le
nid des poules. Si tu as des brebis, ne fais pas le fou, mange   20
ton sel doucement. Maintenant, tu es de cette maison. Obéis
bien aux femmes et fais-toi respecter.

Puis, à bout de bras, il chercha la main du papé.

— Je te paie d'un merci, mais si je dois quelque chose . . .

— Tu dois rien, dit le papé, tu dois . . . tu dois d'entrer à   25
ton mas, voilà tout. Et si ton maître ne te tire pas le chapeau,[7]
quand tu passeras le portail, dis-lui de ma part qu'il est pourri.
Adieu!

Au milieu de la pente qui était dure à remonter avec le
bélier dans la brouette, le papé s'arrêta. En bas le troupeau   30

---

[6] *Arlésien* — native of Arles, old Roman city on the Rhone in Provence.
This region in the valley was the winter quarters of the flock. *Arlaten*, in
the next sentence, is another form for *arlésien*.
[7] *ne te tire pas le chapeau* — doesn't take his hat off to you.

partait. Thomas bougeait les bras d'avant arrière, comme s'il brassait une grosse pâte, et toute la pâte du troupeau levait doucement dans les herbes. Puis, Thomas regarda vers le papé: il haussa la main pour dire adieu et, le bras en l'air, il partit
5 devant les moutons dans le gros vent d'août qui coulait à plat comme un fleuve.

Naissance de l'Odyssée
(1930)

Giono in his boyhood had fallen in love with the classics, particularly the Iliad, the Odyssey and Vergil. The landscape of his native Provence, with its olive groves and brown hills, is similar to that of Greece, and on his weekend holidays from the bank Giono roamed the countryside, imagining himself in ancient Greece.

Written as his first novel between the ages of twenty-five and thirty, though rejected by the publishers until the dazzling success of Colline had made Giono famous, this ironic and effervescent version of the Odyssey theme describes the return of Ulysses to Greece, where he is told that Penelope in his absence had been consoling herself with many lovers, the most recent of whom, Antinoüs, is squandering her estate. Spending his first night in an inn, Ulysses, clad as an old beggar, insists that Ulysses is still alive and proceeds to recount a host of imaginary exploits. A blind bard who overhears these boasts uses them as the basis of his songs which soon spread over all of Greece, even to Ithaca, where Penelope and Antinoüs cower in fear of his arrival.

When Telemachus first sees his father arrive in Ithaca, he urges him on to revenge, but disappointed at finding only a weary, dejected old man, he goes into exile. At first Penelope, her maid, Kalidassa, who is in love with Antinoüs, and the latter himself are not convinced that this wretched beggar is really the heroic Ulysses of whose supposed deeds they have heard, and they have therefore placed him at the lower end of the table. Here our excerpt begins.

Students will note the irony which ascribes the victory of Ulysses to the power of his earlier imaginative falsehoods.

95

NAISSANCE DE L'ODYSSEE

I

Peu à peu, autour d'Ulysse, le monde visible se rétrécissait. Tout à l'heure, il apercevait encore de l'autre côté de la table le marchand bedonnant et glouton dont les bajoues ruisselaient de graisse; maintenant, il n'y avait plus, dans le halo trouble atteint par son regard que la fiasque de vin, un coin de plat où des frelons butinaient la brouillade d'asparagus et le coude de Kalidassa. Le reste était fondu dans une brume opaque et grise. Cet au-delà, peuplé de voix parmi lesquelles sonnaient celles d'Antinoüs et de Pénélope ne le troublait pas; une douce hilarité coulait dans ses membres heureux; ses lèvres s'étaient modelées sur un sourire solide. Parfois, une main crevait la barrière laiteuse, prenait la fiasque, l'emportait; il entendait couler le vin, puis on versait aussi dans son grand bol de terre cuite: il buvait, à la fin de sa lampée il retrouvait son monde un peu plus étroit.

Il s'était mis à vider son bol avec rage après qu'on eût tranché le lièvre.

Au haut bout, Antinoüs, étalé sur son côté de table, se servit d'une cuisse et d'un râble pesant. Le plat en fut largement écorné. Il arriva devant Ulysse portant la seule tête. Et il en fut du porcelet comme du lièvre, des pintades comme du
5   porcelet.[1] On lui laissa seulement user à son gré de la salade champanelle. Par contre, on lui versait du vin: on avait posé les fiasques dans son canton et, sous les premières lampées, il sentit fondre l'amertume de sa pensée. Il but: le vin épais vernissait son bol.

10   Il leva les yeux pour suivre un vol de pies dans les oliviers; le verger avait disparu! A sa place, la brume grise dansait. Puis, ce fut au tour de Pénélope: elle sombra lentement. Enfin, Antinoüs. Alors, délivré, il lui parut qu'il s'épanouissait comme une fleur. Une jouissance infinie l'inondait rien que
15   de décroiser ses jambes et de les étendre sous la table. Et il épaississait, au-dessus de ces soucis, les flots du vin. Déjà, ne plus voir la sourcilleuse carrure et les poings pareils à des melons d'eau était une bénédiction des dieux. La voix jaillissait encore du monde disparu, mais le corps dangereux s'était éva-
20   poré, fondu comme un nuage d'orage dans le souffle d'une vallée et cette voix ne l'évoquait même plus. Loin, là-bas, dans cette brume, où s'étaient engloutis le verger d'oliviers, Pénélope et un large coin de la table, il y avait Antinoüs, Antinoüs? Ah! oui, bah! Et dans le halo rétréci, son regard
25   touchait avec plaisir le coude de Kalidassa, plié et pareil à un promontoire de marbre.

Mais il bâillait doucement de la tête et du corps, et, de dessous ses paupières mi-closes, Antinoüs l'épiait. Celui-ci était entré à la ferme en luttant contre son cœur indocile.
30   Dès la porte, il avait écouté le silence du couloir. Ses yeux cherchaient à droite à gauche, des marques de la haute arrivée. Il avança sur la pointe des pieds vers l'écho de la

---

[1] *Et il en fut . . . porcelet.* — The same thing happened with the piglet as with the hare, with the guinea hens as with the piglet.

terrible voix: le silence, au lieu de le rassurer, lui fit présager quelque horrible massacre. N'allait-il pas, au détour des escaliers, buter contre le tas fumant des femmes égorgées? Il trouva Pénélope près du dressoir aux fruits. Soucieuse, elle regardait sans la voir une haute pyramide de figues toutes gluantes d'un sucre d'or.

Par le fenestron, elle lui montra le mendiant sous les mûriers.

— Je ne sais ce que préparent les dieux. C'est lui, mais il se cache derrière ses paroles. Je soupçonne quelque magie. Ni les haillons, ni cette grise barbe emmêlée ne sont dans la chanson.[2] Il médite quelque dure méditation!

Mal content, il se laissa traîner jusqu'à la table avec la complaisance d'un cochon que l'on va égorger. Il ruminait l'image de la mort: des phrases de fifres funèbres sifflaient en lui. Il voyait les épitaphes élogieuses moins belles qu'une vie pénible, la théorie des funérailles sous les rosiers où tous, parents et vociférations hument encore entre deux sanglots l'odeur des roses et dont seul le mort n'a pas joie.

Trois petits pas timides portèrent le dangereux mendiant à sa place. Il baissait les yeux comme une jouvencelle. En troussant sa houppelande, il découvrit un bras maigre et plat.

Au début, Antinoüs emprunté et cherchant de quel pli du ciel allait jaillir la torte force, surveilla du coin de l'œil le faux piteux. Il vit le maigre bras, les doigts tremblotants et surprit à la volée un pauvre regard terne et mol. Alors, il reprit de l'assiette, bomba le torse, et fit tomber devant lui une copieuse portion de lièvre. Il ne pensa qu'après aux soupçons de Pénélope; troublant par frissons son assurance, ils revenaient comme des mouches obstinées. Il se versa à boire.

Le marchand, béat, fit deux rots, s'essuya la bouche et cligna amoureusement vers Kalidassa. Dans sa cervelle qui connaissait les mélopées charmeuses de porcs, il malaxait une

[2] *dans la chanson* — allusion to the marvelous stories the blind bard had spread concerning Ulysses.

longue phrase propre à donner à cette fin de repas une courbe
harmonieuse. Comme il s'emberlificotait, il retrouva le souvenir du chant d'Ulysse. Aussitôt, il cura sa gorge, pencha la
tête, haussa les sourcils, et, de sa large bouche qu'il amenuisait:

5   — Que vous avez de grâce, fillette, dit-il à Kalidassa, quand
vous portez les vins! Je vous ai suivie de l'œil depuis la porte
de la cave jusqu'ici: avec votre tunique évasée vous sembliez
la campane qui se balance au cou de ma truie maîtresse. N'allez-
vous jamais sur quelque plage de la mer, laver le linge et
10   jouer à la balle? Je ferais volontiers le naufragé, comme un
autre fit, mais la branche de chêne en moins.[3]

    Et le rire ébranla ses bajoues.

    Pénélope repoussa son écuelle.

    — Maître Lagobolon, mes servantes sont sages!

15   — Dame Pénélope, n'ayez pas l'air de briser du bois mort
entre vos dents. Elles sont toutes sages! Eh! Qui ne le sait?
Mais il suffit d'être bien adorné, en chair, s'entend — et, il
faisait le mignon avec ses bras épais comme cuisses de jument.

    — Vous savez bien, Nausicaé?[4] Ne lui gardez pas rancune: c'est
20 à votre honneur d'avoir homme si net qu'on l'aime nu. Nous
autres ne sommes pas dans l'amitié des karites: nous avons la
poitrine embroussaillée et les genoux écailleux . . .

    — Maître Lagobolon, il n'est pas preux de moquer la veuve!

    — Quelle veuve?

25   — Eh! moi!

    — Dame Pénélope, ne riez pas avec la mort: merciez les
dieux qu'il soit vivant après tant d'avatars entre leurs griffes, —
devant les visages assombris il remua sa grosse tête — et, dites-

---

[3] *Je ferais . . . en moins.* — I would gladly be shipwrecked like the other,
but minus the oak branch. (This refers to an incident in Book VI of
the *Odyssey* when Ulysses, shipwrecked and washed up on the shore of
Phaeacia, breaks off the branch of a tree to cover his naked body.)

[4] *Nausicaé* — Nausicaa, the princess of Phaeacia, who found Ulysses on
the shore.

moi où je peux le trouver avant le soir, je veux traiter l'achat
des porcs et filer: on m'attend en Elide.[5]

Pénélope regarda les yeux d'Antinoüs: le désarroi les faisait
pareils au ciel de Mars. Elle haussa les mots à grand ahan.

— Enfin, maître Lagobolon, que voulez-vous dire depuis   5
un moment? Est-ce le vin, ou bien . . . je ne sais pas, mais vous
avez des façons insolites. Quelqu'un autre que moi vous a-t-il
vendu des porcs, dans cette ferme? De qui voulez-vous parler?
D'Eumée?[6]

Le marchand cligna deux ou trois fois ses paupières, avec   10
le secret espoir que le monde devant lui allait changer, mais
quand il assura son regard, il était toujours pareil: Pénélope
anxieuse, Antinoüs penché à demi sur la table, prêt à bondir,
Kalidassa toute interdite. Il ne comprenait plus!

— Eumée? Vous savez bien que je ne traite pas d'affaires   15
semblables. Vous me connaissez assez, depuis le temps, je n'ai
jamais vécu de ce gain-là. Je suis pour l'honnêteté, moi! Mais,
le patron, Ulysse, où est-il? Je suis venu exprès pour le voir.
Je suis plus malin que ça, ma belle, et celle qui truffera Lagobolon n'est pas née encore. Croyez-le. J'aime mieux traiter   20
avec les hommes: les femmes, c'est cherchi-chercha. Maintenant qu'il est ici, c'est à lui que j'en veux.

Stupide, Pénélope béa. Elle sentait se préciser la menace
autour d'elle. Elle n'appela pas le secours d'Antinoüs: déjà,
celui-ci, reculant un peu son escabelle, se donnait du champ   25
pour la fuite, mais elle amassa ses dernières forces dans son
visage pour rosir un peu ses joues et dire:

— Maître Lagobolon, vous devez avoir appris quelque chose,
dites, vous savez si j'attends . . .

Elle n'acheva pas, ayant rencontré au bout de son regard la   30
dodelinante silhouette du mendiant aux yeux mi-clos.

---

[5] *Elide* — Elis, mountainous region of Greece of which the capital was
Olympia, where the Olympic games were held.
[6] *Eumée* — Eumeus, faithful swineherd of Ulysses.

«J'ai levé là un beau lièvre,»[7] se dit le marchand. Il se frotta les mains, réclama du vin, appuya ses larges bras sur la table et, après avoir léché ses lèvres, il poussa quelques exclamations.

— Dame Pénélope! Je suis venu, je vous le répète, pour
5 voir Ulysse, je croyais le trouver ici déjà. S'il n'y est pas, il ne tardera guère. Vous pouvez préparer le lit.

Il s'assura avec volupté de l'intérêt de tous, puis continua dans le silence:

— La première fois que j'ai entendu parler de lui, c'est sur la
10 route de Gythion[8] à Sicyone.[9] Nous étions campés depuis deux jours au bord du laquet de Phénée, trois marchands de porcs: Epondocratès de Caphiès, Theodopoulos et moi. Vers le soir, je fais une affaire avec un nommé Boulon, dans une métairie de la colline, et, comme ayant payé j'allais descendre au «bi-
15 vaque» je tombe sur une réunion de valets. Ils s'étaient assem- blés dans le thym pour écouter un grand pendard qui raclait de la guitare et gueulait comme un lot de porcs. Je m'arrête, ayant ouï le nom d'Ulysse à la volée. Au bout d'un moment je me suis assis parmi les autres. Ce que racontait le bonhomme
20 était très intéressant. C'était peu de temps après que nous ayons traité l'achat de six cochons un peu malades, vous vous sou- venez? Entre parenthèses, j'y ai perdu, il en est mort deux en mer, mais c'est une autre histoire. Donc, je me dis: «Cette pauvre femme sera contente de retrouver son mari, elle l'a
25 cru si longtemps mort!» Et j'écoute le chanteur. Eh! bien, vous savez, moi, je ne suis pas très amateur de ces manipulations de langue, mais cette fois-là, vraiment, j'en ai bavé, la salive m'en ruisselait du coin de la bouche! Je l'aspirais de temps à autre doucement, pour ne pas faire de bruit. A la fin, je suis
30 allé trouver le musicien pour m'enquérir d'où il tenait tous

---

[7] *J'ai levé là un beau lièvre* — I have really started something.
[8] *Gythion* — a city on the Laconian gulf, once the port for Sparta, known today as Palacopoli.
[9] *Sicyone* — city famous in antiquity for its paintings on wax and sculpture in bronze.

ces récits: «Ulysse lui-même me les a contés» dit-il, «je l'ai
rencontré comme il traversait l'Arcadie.[10] Il allait à Ithaque».[11]
Je lui demandais: «Est-il vraiment si grand et si beau que ça?
Je l'ai connu dans le temps et ne l'ai pas trouvé si extraordinaire!» — C'est, me dit-il encore, que dans le commerce des   5
déesses, il s'est polissé comme un chaudron qu'on frotte avec
du gravier. Puis, il me laissa pour donner des conseils à trois
valets qui en liaient un autre sous un bélier pour essayer le
tour d'Ulysse chez le cyclope.[12] Ça me paraissait, à moi aussi,
très difficile et, cependant, je me suis rendu compte, cela peut   10
se faire, d'autant que les ouailles du géant devaient être plus
grosses que les nôtres. Je suis d'avis cependant qu'il a dû
partager les armes entre les brebis et les arrimer par petits paquets. C'est comme pour Nausicaé . . .

II

Depuis un moment, Ulysse inventoriait de l'oreille les voix   15
diverses qui habitaient la brume. Ç'avait été d'abord le ronflement brisé d'un moulin fluvial entravé d'herbe et que l'eau
pousse par saccades, puis, la voix du marchand avait régulièrement ronronné et, peu à peu, il l'avait entendue. Il se peloton-
nait dans sa paisible ivresse comme une larve dans son cocon.   20
Aucun mal ne pouvait plus l'atteindre. La force du vin avait
effacé l'anguleux Antinoüs, elle lui apportait même son mensonge édulcoré comme ces facéties crétoises de crottes de chèvre
enrobées dans le miel.

Ainsi, ces souvenirs qui avaient fait de lui une outre d'amer-   25

[10] *Arcadie* — Arcadia, now a department of Greece.
[11] *Ithaque* — Ithaca, the island in the Ionian sea over which Ulysses had
reigned.
[12] *le tour d'Ulysse chez le cyclope* — allusion to the incident related by
Ulysses in Book IX of the *Odyssey*. When the Cyclops held Ulysses and
his men imprisoned in the cave, Ulysses first put the Cylops' eye out with
a burning spear, then tied his men and himself under the bellies of sheep
after the Cyclops opened the door to let them out to graze.

tume, il les suçotait joyeusement. Une saveur nouvelle parfumait sa pensée. Il voyait dans son mensonge des formes précises,
des gestes harmonieux, la couleur de la lumière d'après-midi,
les hautes vagues gémissantes et ces îles aiguës qui enfoncent
5 dans la mer paisible le fer triangulaire de leurs reflets. Il
entendait le fracas des eaux échevelées entre les vagues, le
grondement des pins et le crissement des cigales pareil au bruit
d'une épée qu'on aiguise: il sentait l'odeur des résines, des
bruyères et le parfum de ce grand vent des plateaux qui dort
10 la nuit, vautré dans les hautes herbes aromatiques.

— Certes, voilà paroles de valeur, se disait-il en lui-même,
je devais être, ce soir-là, sous les grandes ailes de Pégase.[1]

Et, il fut soudain si heureux qu'un large rire silencieux
éclaira son visage.

15 Pénélope vit dans ce rire le signe fatal de la colère montante.
Elle toucha furtivement le bras d'Antinoüs pour le prévenir,
mais celui-ci était lâché sur une pente trop roide. Il s'était
tourné vers Lagobolon, le prenant directement à partie:

— Comment, toi qui dis hanter tous les cirques et nous as
20 même raconté qu'en ta jeunesse tu luttas à la course, au
javelot, à tous les jeux, tu crois balourdises pareilles? As-tu
jamais essayé de jeter le disque? Non, qu'on aille le dire à
d'autres mais pas à moi.

Pour les choses de l'athlétisme, Antinoüs était d'une suscep-
25 tibilité chatouilleuse. Il n'acceptait jamais d'emblée les exploits
de tel ou tel! Il comparait, il citait des dates, des noms, des
distances ou des poids en chiffres exacts et il n'admettait pas
la jactance.

— Cependant, mon petit, c'est la pure vérité: il a pris le
30 disque le plus pesant et sans même enlever son écharpe,[2] tu

[1] *Pégase* — Pegasus, a winged horse, and symbol of poetic inspiration.
[2] *sans même enlever son écharpe* — without even removing his scarf. (This is
an allusion to the incident in Book VIII of the *Odyssey* when Ulysses
"with his cloak still on" threw the discus farther than the best Phaeacian
athletes.)

entends, sans même enlever son écharpe, il l'a jeté plus loin
que tous les autres. Je suis aussi malin que toi pour ces
choses-là; tu me dirais: «je l'ai fait,» je ne te croirais pas,
mais Ulysse . . .

Il allait ajouter: «je l'ai vu.» Il se retint en songeant à ce   5
qu'il avait précédemment raconté, mais il se promit de modifier
en ce sens la prochaine fois.

— Pas plus Ulysse qu'un autre. On dirait que tu n'as jamais
vu lancer un disque! On le fait le torse nu. S'il avait gardé
son écharpe, en prenant l'élan, il risquait de se l'enrouler autour   10
du bras et de casser ainsi la tête à deux ou trois Phéaciens: or,
je ne connais personne pour lancer le disque sans élan. Je te
répète qu'Ulysse lui-même ne peut pas l'avoir fait.

— Et moi, je vous dis qu'il l'a fait, cria le mendiant en se
dressant subitement!   15

Il ne savait pas exactement de quoi il s'agissait, mais une
sourde rancune l'agitait depuis un moment contre ce rébarbatif
qui ne voulait pas croire si beau mensonge. Son intention,
cependant, était de parler à voix mesurée. Le son de ses paroles
l'éveilla, déchira le cercle de brume, il se trouva debout devant   20
le rocheux Antinoüs et l'ayant défié sans savoir comment.

L'autre, en un instant, sentit son assurance s'effondrer. Il
regarda les bras du mendiant, ils paraissaient avoir grossi:

— Qu'est-ce qu'il veut, celui-là, bredouilla-t-il?

Mais, Lagobolon renchérit: il se tourna vers le mendiant: 25

— Tu vois, dit-il, quel cas l'on fait de notre parole! On ne
pourra plus rien dire tout à l'heure. Ils croient tout connaître,
et, on leur presserait le nez, il en sortirait du lait!

Kalidassa irritée cria: «Antinoüs! Antinoüs!». Et, de la main,
elle lui faisait signe: «Dresse-toi, tape dedans!»   30

Il répliqua, mais au marchand:

— Viens me le presser, toi!

Celui-ci n'entendait pas mener la querelle seul: il avait un
champion, il prit le bras du mendiant.

— Ça ne nous coûterait guère, petit, et tu ne serais pas le premier!

— Allons, allons, grogna Ulysse.

Il se serait assis volontiers, n'était la crainte de ne pouvoir
5   fuir au premier geste d'Antinoüs.

Kalidassa, les yeux luisants d'amour, apostrophait le jeune
homme:

— Ne te laisse pas dire! Combien pèsent-ils, tous les deux?
Assomme le gros, et porte l'autre dans le bassin. Attendez,
10   chiens, laissez-le seulement se dresser!

Il se dressa mollement, ses regards erraient sur le feuillage
des oliviers: il y voyait le halètement d'un monde magique:
un cyclope, des centaures, des dieux à égides, des panaches,
des casques, un large poing qui faisait éclater les têtes comme
15   des noix fraîches!

Les choses se gâtaient; Lagobolon se mit aussi sur pied; mais
il opéra une prudente retraite derrière le corps du mendiant.

Pénélope, pétrifiée de joie horrible, regardait!

Enfin, il avait jailli! Pas tout à fait, à vrai dire, et il res-
20   semblait encore beaucoup à un gueux, mais il allait se battre!

Dans la fulgurante danse de ses bras meurtriers, elle verrait
enfin, resplendissante, la chair véritable d'Ulysse!

Elle sentait confusément en elle-même qu'elle serait la
femelle du vainqueur, quel qu'il soit!

25   — Nous allons te le presser, clama Lagobolon véhément.

— Eh! Eh! Ne poussez pas, dit Ulysse.

Dans l'instant, le marchand le jetait d'une bourrade sur
Antinoüs. Il perdit l'équilibre, leva désespérément le bras,
son poing s'écrasa sur quelque chose de dur.

30   Kalidassa et Pénélope crièrent ensemble.

Dans un éclair il vit qu'il avait touché le menton d'Antinoüs!
C'en était fait. Il bomba les épaules, ferma les yeux! Quand
il les rouvrit, les deux femmes criaient toujours, mais, Antinoüs,
jambes au vent, détalait au fond du verger.

— En avant! En avant! gueula Lagobolon, et Ulysse
s'élança.

III

Pendant le court instant de la dispute, Antinoüs vit, pour la
première fois et de claire façon, la puissance et la vanité
de l'amour dans les attitudes contraires de Kalidassa et de   5
Pénélope. L'une, de gaîté de cœur, jetait sa frêle chair à côté
de lui pour le terrible combat; l'autre, immobile, semblait
surtout préoccupée de soucis personnels. Comme il essayait de
s'expliquer ce bouleversement par l'approche de quelque force
divine, la chiquenaude d'Ulysse le frappa au menton avec le   10
poids effroyable du mystère.

Il chancela, le cri des femmes l'empenna de deux dards au
long desquels son sang et toute sa vie chaude coulèrent. Il
bondit comme une pierre qui ricoche, puis il se mit à courir
vers la colline.   15

Derrière lui le tumulte des escabeaux renversés s'enfonça
dans le froissement des feuillages.

Il jaillit du verger. Dans le libre espace il eut la sensation
d'être nu. Ici, il y avait en plus les dieux. Leur vol sournois
sifflait doucement dans l'air calme.   20

Il se jeta vers une ravine couverte de clématites. Sur le bord
il se retourna: Ulysse, pareil à un bourdon gorgé de miel,
sortait du verger.

Après un temps de large galop, où la peur renouvelée l'emportait comme sur deux ailes, Antinoüs s'arrêta pour souffler.   25

Les pierrailles coulèrent dans le ravin sous un pas rapide.
Une lourde course cassa des branches.

Il ne l'avait pas dépisté!

Il chercha autour de lui la route sombre où il pourrait
cacher sa trace. Il ne fallait pas songer à cette collinette décou- 30
verte, si l'autre avait son arc . . .

Il prit par les bas-fonds. Il voulait gagner le rivage: il connaissait une anse où des pêcheurs d'oursins amarraient leurs barques. La mer lui semblait un refuge certain. Il irait vers la route des balancelles qui font Céphalonie,[1] se ferait prendre à
5   bord, et «adieu Ulysse.» Ses pieds s'enfoncèrent dans la boue, il était venu droit sur le marais. Il avança encore un peu en hésitant: sous lui la peau molle de la terre tremblait. Il s'arrêta, inquiet, épiant à droite et à gauche. Retourner? Il risquait de tomber devant les poings d'Ulysse, ou, qui sait, dans l'aire
10 battue par son arc, si, embusqué à l'orée du ravin il guettait.

Il défit ses sandales et marcha pieds nus. Enfin, à travers les cannettes, il vit briller la face blême du marécage. Bientôt, l'eau herbeuse monta le long de ses jambes. Quand elle atteignit son ventre, il se coucha doucement sur elle et nagea
15 à grandes brasses silencieuses. Il frôlait les hautes herbes, n'osant pas, malgré le crépuscule, s'aventurer en eau libre, de peur de la divine flèche. Une hirondelle qui chassait heurta son épaule. Il cria, se croyant blessé: il cessa de nager pour toucher et regarder si le sang . . . Il but une gorgée d'eau
20 saumâtre.

Et, comme il émergeait, il entendit de nouveau autour de lui le sifflement du vol des dieux.

Il donna un fort coup de talon, jaillit de l'eau jusqu'à mi-corps comme un dauphin qui joue, mais retomba sur place:
25 une poigne solide retenait sa jambe. Sous le moulin précipité de ses bras, l'eau jaillit en flammèches lourdes et blanches; elle bouillonna: sur le calme marécage de grandes rides coururent et qui balancèrent, au fond des oseraies, le nid solitaire des canards.
30 Il vint donner de la tête contre un tronc flottant, retrouva l'aisance de ses jambes; un sillage rapide le fit échouer sur la plage de boue. Il alla en chancelant vers la terre dure de la

---

[1] *qui font Céphalonie* — which cross to Cephalonia (largest Greek island in the Ionian sea, commanding the entrance to the gulf of Corinth).

colline, il s'affaissa sur le thym. Une longue liane de chiendent des marais entourait sa cheville gauche.

Il haletait. L'effort désespéré avait noué ses nerfs: il les sentait se tordre dans ses cuisses et ses bras.

Quelle était cette force immense, épandue dans l'air, cachée   5
sous l'eau, et contre laquelle il s'épuisait?

Du bruit en bas!

Les cannettes éventrées par une course dont il pouvait suivre l'anguleuse trace!

Des arrêts, comme quelqu'un qui cherche!   10

Ulysse? La quette d'un sanglier?

Non, Ulysse!

Deux bras écartaient la lisière du canier.

D'un bond Antinoüs se rua sur la colline.

— Arrête, arrête! cria Ulysse.   15

Antinoüs, ailé d'effroi, courait dans la badassière; l'air parfumé se creusait devant lui. Le souffle régulier de sa gorge gonflait sa poitrine de bonne vie. Le jeu souple de ses jambes le jetait toujours plus loin, hors de ces mains invisibles qui, tout à l'heure, avaient lié ses forces. Une forge ronflait entre   20
ses côtes, il avait l'impression de forger sa liberté avec le marteau sourd de son cœur. Une bourrasque d'espérance balaya sa tête; sa pensée, nue et svelte s'étira dans un large ciel où des torrents de lumière charriaient la joie. Il osa regarder en arrière: Ulysse abordait à peine la montée. Il devançait les   25
dieux!

Vainqueur! Il allait être vainqueur, puisqu'il était le maître de la vitesse!

Entre le feuillage écumant des pins et l'arête de la colline, une bande de ciel apparut.   30

Le haut de la falaise!

Dix sauts encore, puis la descente, la plage, la barque, et, tout à l'heure, la tartane, et «Adieu Ulysse!»

Il glissa sur une roche osseuse, s'écorchant les genoux et le menton.   35

— Par l'Hadès,[2] dit-il entre les dents.

Depuis qu'il se sentait le plus fort, une colère iconoclaste durcissait ses muscles.

Une détente de jarrets le jeta dans un palier couvert de bruyères et de feuilles mortes. Il ne sentait pas la douleur, il voyait seulement le ciel sous le feuillage des pins. Déjà, il courait sur le souple tapis, préambule de la pinède.

«Le sentier, la barque, adieu Ulysse!»

Il allait vivre!

Il remarqua que le vent qui s'ouvrait devant lui sentait le vin nouveau et que cette odeur était douce. On devait écraser des raisins aux portes d'Ithaque.

Le sol aisé le portait: il s'engouffra dans le portique des troncs écailleux au-delà duquel luisait la vie vêtue de vent odorant. Son corps que l'effort allongeait fusait des herbes comme un hymne spontané.

— «De tout mon corps, de tous mes muscles, contre la mort!

«J'ai vaincu!

«Je l'écrase sous mes pieds comme une vendange.

«Ma vitesse est un glaive aiguisé.

«Et, la mort, sous moi, comme une vendange écrasée, ruisselle le vin de la vie que je bois.

«Les dieux? Peuh! Des mouches sur les bras gluants du vigneron!

«Je suis plus fort que les dieux!»

Il tourna la tête: Ulysse émergeait des genévriers. Il bondit un saut gigantesque.

— Plus fort que les dieux, dit-il encore, puis ses dents se serrèrent comme les pierres d'un mur.

Et il ne toucha plus le sol.

Comme il y retombait, le frôlant déjà du bout de son orteil tendu, il sentit sous lui la terre molle, aérienne, impalpable,

---

[2] *Hadès* — Greek god of the infernal regions.

inconsistante comme la chair bleue d'un abîme. Il essaya de
s'appuyer quand même, perdit l'équilibre, vit trois pins s'incliner en craquant et le suivre dans sa chute: un nuage de
poussière l'emportait, l'air fuyait sa bouche ouverte. De
grandes ailes de fer sifflaient au bord de ses oreilles.   5

Cette fois, c'était bien le coup assené par les dieux!

— O mère, ma mère! eut-il le temps de clamer à pleine
gueule avant de rouler, inerte, dans le torrent des terres
éboulées.

Ce fut si soudain, qu'Ulysse y crut voir aussi l'irruption des   10
dieux. Il s'accoita sous les feuillages. Le grondement des
pierrailles ruisselantes roula, puis, la mer se mit à tonner à
mesure que les grosses roches entraient en elle, ensuite un
suintement léger, puis le silence.

Ulysse retint son souffle, écouta: il n'entendit plus que la   15
sourde marée de son sang contre ses tempes. Une mouette
passa. Le silence! Le vent amena une note de flûte, de l'Est,
où l'on gardait les porcs sur les plateaux. Une note claire et
paisible, comme d'un oiseau.

Ulysse se dressa.   20

Le bord de la falaise semblait avoir été déchiré par une
mâchoire de géant. Une morsure en arc de cercle l'ébréchait.

Il resta un long temps sans penser: trop de pensées luttaient
en lui, se chevauchaient, pareilles à des cavales effrénées après
la pluie. Enfin, il comprit: la falaise s'est éboulée!   25

— C'est la sécheresse, dit-il à haute voix, et le son de ses
paroles le rassura.

Il avança, précautionneusement, les yeux fixés sur le gouffre
où Antinoüs avait plongé.

Il s'allongea sur le tapis des aiguilles de pin; agrippé aux   30
racines, il tendit le cou par-dessus le bord.

En bas, une grande roche nouvellement plantée éventrait
le golfe. L'eau encore émue, clapotante et boueuse, battait

contre elle: des flocons d'écume volaient comme des pigeons
que le vent ébouriffe au-dessus des collines.

Des herbes, des genévriers entiers flottaient. . Un courant,
étendu sur la mer comme une grande aragne huileuse, les
5 fouaillait, les *montait* à petits coups de pattes sur le dos de l'eau
libre. La vague s'éclaircit, essaya de caresser la plage avec son
geste habituel.

Soudain, Ulysse aperçut une mince chose pâle s'élever du
fond glauque, balancée par le ressac.

10 Une force lente et bleue la haussa jusqu'à la surface.

Le courant abandonna sa cargaison de genévriers qui voguait
déjà vers le large et, doucement, vint palper l'épave. Elle
tourna.

— Antinoüs? se demanda Ulysse. Son regard le faisait souf-
15 frir comme une antenne blessée.

La danse de l'eau éparpilla une chevelure, des bras s'ouvrirent en croix.

— Antinoüs! dit Ulysse. Il ne pouvait croire que ce fût là
déjà ce qui, tout à l'heure, bondissait dans l'herbe comme une
20 flamme. Il cria:

— Antinoüs, Antinoüs!

Il vint d'en bas le bruit léger et berceur des grands bras du
courant qui frôlaient le sable. L'autre, muet, s'en allait, flottant
entre deux eaux, vers l'étrange pays des néréides, là-bas,
25 derrière la flamboyante face d'or du soleil.

Dans la main qui tenait les racines, une douleur suinta.
Ulysse ferma les yeux. Il se mit à ramper à reculons; quand
ses talons touchèrent le bord épineux de la garrigue, il se dressa.

Le soir tombait. Le vent alenté apportait plus fraîches et
30 plus joyeuses les notes perlées de la lointaine flûte.

Il y avait dans l'air un délicieux parfum d'acacia. Il faisait
bon vivre. Ulysse avala goulûment deux larges gorgées de ce
bon vent musicien, mais il dit encore une fois à voix basse:

— Antinoüs!

Le Chant du monde
(1934)

Of *Giono's trilogy of epic novels* Le Chant du monde, Que ma joie demeure *and* Batailles dans la montagne, *the first is universally considered the masterpiece of his prewar period. Only here has he achieved a perfect balance among pictorial richness, interest and credibility of intrigue, and development of characters which blend into and are explained by their environment.*

Antonio, the man of the river and Matelot (Sailor), *the man of the forest, have set out to rescue the latter's son, the red-haired besson or twin, from pursuit by the tyrant, Maudru, in his mountain domain. Arriving in Villevieille at the home of the mysterious soothsayer and healer Toussaint, they discover that the latter is hiding the twin and his sweetheart Gina, daughter of Maudru. The twin has killed Gina's fiancé, nephew of Maudru, and the latter's cowherds in revenge have ambushed and slain Matelot, the twin's father. Deeply grieved by his father's murder and thirsting for revenge, the twin starts out with Antonio to attack the farmhouse and stables of Maudru.*

This episode, epic in the violence of its flaming terror, has been chosen because it is a complete story in itself and because it illustrates Giono's capacity for mysterious, dramatic, hallucinating narration.

113

LE CHANT DU MONDE

Ils étaient sortis de la ville par le nord. Le vent soufflait. De temps en temps les nuages découvraient la lune; on voyait alors une lande hirsute encore sale de boue et de neige fondante.

— Je n'ai pas d'armes, dit Antonio.   5

Le besson marchait devant à grands pas.

— Pas besoin, dit-il.

Le bruit du fleuve était loin. On entendit parler un vaste marécage avec tous ses roseaux frais.

Ils marchaient encore sur la terre ferme mais tout à côté on   10
entendait des froissements d'eau, de gros clapotis et parfois le frisson d'une vague rase qui sifflait entre les roseaux.

— Combien d'heures avant le petit jour? demanda le besson.

— Cinq.

— Il faut un peu courir, dit-il. Nous suivons la digue, c'est   15
franc.[1]

___
[1] *c'est franc* — it's clear, easy to follow.

Et il commença à trotter lourdement, presque sans bruit. Au bout d'un moment les nuages s'ouvrirent. La lune éclaira là-bas devant un grand découvert d'eau plate encore un peu encroûté par place d'îlots, de joncs, mais où glissaient toutes
5   libres les luisantes risées du vent.

Au bout de la digue le besson regarda, en bas, du côté de l'ombre.

— Attends-moi.

Il descendit jusqu'à l'eau. Antonio l'entendit patauger.
10   «Regarde là-haut s'il n'y a pas une perche. Par terre.» Si. Elle était là.

— Viens.

C'était une sorte de radeau bâtard avec un petit bord, moitié barque.

15   — Attendons que la lune se cache.

Il y eut encore de grandes vagues d'ombres portées par le vent; les deux hommes ne bougeaient pas. Ils regardaient du côté des montagnes. De temps en temps ils apercevaient là-bas au fond les rochers brillants, les névés et les glaces, mais,
20   tout le long des pentes montagnardes, suintaient de lourdes brumes noires, épaisses comme des forêts; on les voyait gonfler leurs énormes feuillages. Il fallait attendre que le vent les saisisse et les couche. Alors, ce serait la grande nuit sans lune toute bouchée.[2] Elle arriva. Le vent trop lourdement chargé
25   flotta un moment, frappant l'eau du marais avec son odeur d'arbre.

Tout le marais était dans l'ombre.

Le besson poussa sur la perche et commença à naviguer. Il restait un petit rond de lune sur l'eau mais il s'enfuyait à
30   toute vitesse et il s'éteignit, loin, de l'autre côté, au moment où il touchait les sapinières des collines. Il n'y avait que le bruit de la perche dans l'eau et le glissement de la barque plate. Une bonne odeur de boue et de pourriture, et puis

[2] *la grande nuit sans lune toute bouchée* — absolute darkness without any moon.

l'haleine grasse des roseaux pleins de sève verte. Une odeur
animale d'oiseaux d'eau, le duvet du fond du nid, l'odeur
des grands becs mangeurs de frai, l'odeur des anguilles noires.
La fuite d'un rat palmé faisait lever l'odeur des racines d'osier
puis le fumet de la petite bauge flottante avec la femelle rate   5
toute chaude.

Le besson naviguait en eau libre. Il avait l'air de connaître
la route. Il pesait régulièrement sur sa perche. Il la retirait
de l'eau et, à l'endroit où il la sortait, s'élargissait un petit
rond de lumière pâle, gras comme une fleur de nénuphar. La   10
perche luisait, égouttait des gouttes. Il l'enfonçait. Tout s'é-
teignait. Une bête d'eau nagea près d'eux en gémissant. Elle
sentait le poisson mort et le poil mouillé. Elle entra se cacher
dans une touffe de roseaux-avoines en dispersant une odeur
de pollen et de miel.   15

Depuis un moment Antonio voyait là-bas devant un petit
point rouge comme une tache de braise. Le besson naviguait
sur ça. De là-bas venait aussi une odeur de terre piétinée et
de fumier.

— C'est une lampe, se dit Antonio.   20

Un poisson sauta hors de l'eau avec une odeur d'anis et de
cresson.

Là-bas c'était maintenant une lueur derrière des fenêtres,
sans doute une lueur de gros âtre, une sorte de halo écarlate
à peine palpitant et, dedans, des points plus éclatants qui   25
clignotaient comme des étoiles, des lampes. L'odeur du fumier
arrivait plus épaisse. Une odeur de murs aussi, de crépi humide,
de torches, de chaume et d'ardoise. Dans le ciel bas qui frôlait
l'eau flottait un parfum de foin sec, de paille, de fumée, d'urine
de taureau, de pelages, de sueurs, d'hommes.   30

La lumière sembla s'enfoncer dans la terre puis disparut.
Ils abordaient au bas d'un haut talus de terre fraîche. De
temps en temps des mottes s'éboulaient encore et tombaient
dans l'eau.

— Attends un peu, là, dit le besson.

Il sauta au bord et grimpa le long de la berge glissante.

Antonio entendit que là-haut le besson se jetait contre la
terre. Un cri un peu gras et qui s'éteignait doucement. Le
5   souffle court du besson, par paquets.³ Des craquements de
muscles. Un petit gémissement. Une longue respiration. Le
silence.

Antonio sauta. Comme il se rétablissait en haut du talus
une griffe de bête lui égratigna la joue. Il baissa la tête, lança
10 sa grande main dans la nuit. La griffe était au bout d'une
longue patte raide, immobile. Il se haussa d'un seul coup, roula
sur un corps encore chaud, mou comme une outre, couvert
de poils; sa main glissa sur une langue baveuse, des dents
froides, une gueule qui sentait la carne.

15   — Tais-toi, dit le besson.

Il était à côté de lui, couché sur la terre.

— C'est le chien, dit le besson. Attends un moment.

Là-bas devant, maintenant, ils pouvaient voir un grand
corps de maison. La carcasse était plus noire que la nuit, plus
20 noire que les collines derrière; la lumière brûlait dans le corps
principal, sous une arche.

Une énorme odeur de taureau, épaisse comme du mortier,
dormait au ras de la pâture.⁴

— Au fond du pacage trois, dit le besson. C'est là qu'on est.

25   La grande ferme des bêtes se dressa devant eux au bout
des pâtures. Elle élargissait, de droite et de gauche, des étables
à toits blêmes.

Ils traversèrent un fossé, une barrière en fil de fer barbelé;
une pâture ancienne; de temps en temps l'herbe était usée
30 jusqu'à la pierre; une autre barrière en fil de fer; une pâture
un peu plus grasse; un fossé plus large, plus profond, à moitié
plein d'eau et d'herbe d'eau, du cresson et des éparvières.

---

³ *par paquets* — gasping.
⁴ *dormait au ras de la pâture* — lay heavily on the surface of the pasture.

Au delà du fossé un pré. A l'odeur il avait l'air d'être habité.
C'étaient des taureaux galeux, seuls dans la nuit. Les bêtes se
levèrent. Elles reniflèrent les hommes, tapant du pied dans la
terre sourde. Elles faisaient claquer leurs cous. Le besson siffla.
Les taureaux se recouchèrent.   5

Voilà le mur.

Depuis la berge du marais où le besson avait étranglé le
chien jusqu'à cette première enceinte de la ferme, il y avait
un bon millier de pas. C'était un mur d'un peu plus d'un mètre
de haut fait avec de grosses meules de granit.   10

Antonio sauta. De l'autre côté, du fumier vivant sous le pied.

Le besson dit:

— Je crois que c'est à droite.

Une énorme grange noire s'avança vers eux; elle soufflait
une haleine de foin sec. Un hangar creux bourdonnait des   15
bruits de la nuit; il répéta les pas. Les deux hommes s'arrêtèrent. Le hangar sentait le fer et le bois. Il devait abriter des
chariots neufs.

Ils s'en allèrent comme des chats le long d'une draille d'herbe.
Elle menait au puits. Ils restèrent là un moment pour s'orienter.   20

On ne voyait plus la lumière de tout à l'heure. On était trop
dans le corps de la ferme. D'ici on apercevait un reflet sur le
mur d'une autre grange. Il n'y avait pas de bruit sauf le bour-
donnement grave du hangar.

— Je les aurai, dit le besson.   25

— Qui?

— Tous.

«Tous», dit-il encore.

Il regardait le petit reflet de la lumière sur le mur.

— Les uns après les autres, chacun à leur tour, chacun à   30
leur manière. Tous. Tous.

Il frappa du poing dans l'herbe.

Il était un peu éclairé par le reflet du mur: accroupi comme
un chat, la tête en avant, le menton dur.

— C'est l'heure, dit-il.

Il sauta. Antonio courut derrière lui.

Depuis l'angle de la grange il y avait un chemin de lumière
jusqu'au porche de la ferme.

5   Ils s'avancèrent en pesant les pas.

On voyait la grande fenêtre. Là-bas dedans c'était éclairé:
l'âtre et les lampes. Six bouviers étaient assis, les coudes écartés
sur la table de bois. Maudru près de l'âtre, le bas du visage
dans sa main, le pouce et l'index sur ses joues, la bouche dans
10   sa paume. Gina,[5] en deuil de femme de montagne marchait
de long en large. De temps en temps elle parlait. On n'entendait pas ce qu'elle disait. Personne ne devait l'entendre même
pas ceux de dedans. Ils ne bougeaient pas. Enfin un bouvier
se tourna vers Gina et il se mit à lui répondre. Il expliquait
15   avec les gestes de sa main: ça avait l'air d'être un large pays,
puis il dressa le bras comme pour dire: «Au tonnerre de dieu,
là-bas!»[6] Gina s'arrêta en face de lui. Immobile elle se mit à
parler à l'homme. Elle ne bougeait que ses lèvres. Elle devait
parler de Maladrerie car le bouvier, à mesure qu'elle parlait,
20   regarda en l'air du côté des montagnes. Gina se tourna vers
Maudru. Elle eut l'air de lui dire: «Et alors, toi, qu'est-ce
que tu en penses?» Maudru ne bougea pas. Il resta comme il
était: la bouche dans sa main.

Le besson les compta.

25   — Six, sept, huit.

— Neuf, dit Antonio.

— Où neuf?

— Regarde au fond, près de la porte du fond.

C'était Delphine Mélitta, toujours lisse et coquette, le petit
30   béret de tricot de côté sur ses cheveux blonds. On la voyait
de profil avec son front étroit et son gros menton volontaire.

---

[5] *Gina* — the sister of Maudru, in mourning because of the death of her
son whose funeral had recently taken place in Maladrerie, Gina's farm
high up in the mountains.
[6] *Au tonnerre de dieu, là-bas!* — A hell of a long way off, over there!

— Reste deux hommes par étable, dit le besson.

Il s'approcha d'Antonio.

— D'abord tu vas me suivre, puis tu feras pour ton compte sans te soucier de moi.

— Je dois me soucier de toi, dit Antonio.   5

— Je te dis : . .

— Je te dis qu'on ne me commande guère, dit Antonio.

Il entendit le besson qui grinçait des dents comme un ours.

— Marche, dit Antonio, je te suivrai, après on verra.

De chaque côté du corps principal de la ferme s'étendaient   10
les étables: cinq à droite, sept à gauche.

— A la première, dit le besson.

Il regarda par la chatière. C'était bien ce qu'il pensait: le fanal, les taureaux libres, les deux hommes couchés. Mieux que ce qu'il pensait: on avait apaillé de frais et la paille des   15
litières était toute neuve. Il tira doucement la clenche. Il ouvrit la porte. C'était un haut vaisseau de maison avec un enfaîtage de poutres en bréchet d'oiseau.[7] Un fanal près des hommes endormis; une sorte de lampe-tempête à gros ventre de pétrole.

Le besson s'approcha des hommes. Il les frappa de toute   20
sa force sous le menton. Un sans bouger se mit à saigner du nez. L'autre releva le bras et le laissa retomber.

— Tirons-les dehors.

— Loin des étables, dit le besson dans l'ombre.

Ils les cachèrent dans un angle du mur d'enceinte près   25
du puits.

Le besson toucha l'épaule d'Antonio.

— Ils en ont pour un gros quart d'heure ces deux-là.[8]

— Peut-être plus, dit Antonio.

Il avait porté celui qui saignait du nez. Il avait du sang   30
sur les mains.

[7] *C'était . . . en bréchet d'oiseau.* — The house was high like a ship with beams supporting the roof like the breastbone of a bird.
[8] *Ils en ont pour un gros quart d'heure ces deux-là.* — It will be a good quarter of an hour before those two regain consciousness.

— Peut-être plus, oui, dit le besson, mais d'ici un quart
d'heure ils pourront se réveiller sans dommage.

Ils rentrèrent dans l'étable.

Le besson fouilla dans le coffre aux bouviers. Il en sortit
5   deux vestes de cuir marquées de l'M.

— Mettons ça, dit-il, ça nous cachera toujours un peu.

Il enfonça un béret sur ses cheveux rouges.

— Et maintenant, dit-il . . .

De temps en temps le besson disait: «Et maintenant . . .»
10   Ça avait commencé en partant de Villevieille. Il se le disait à
lui, comme s'il arrivait au bout d'un geste qui le lançait dans un
autre geste qui le lançait vers sa vengeance, toujours plus avant,
dans un bel ordre, où, tout prévu, rien ne pouvait échapper.

— Et maintenant.

15   Il ne se pressait pas. Il tremblait seulement un peu.

— Et maintenant . . .

Il s'avança au milieu des bêtes couchées.

— Oh! carne de bœuf,[9] dit-il, c'est pour toi que je le fais.

Les bêtes avaient l'air de le connaître. Il caressa le garrot
20   d'un taureau à cornes claires.

Il frappa doucement du pied le flanc d'un taureau roux.

— Allons les bœufs, dit-il, debout!

Cela faisait un bruit doux et léger car il y avait juste le bruit
des bêtes qui se dressaient, puis elles restaient là, plantées sur
25   leurs jambes, encore pleines de sommeil. Elles regardaient le
besson. Il allait de l'une à l'autre. Il leur parlait à voix basse.

— Qu'est-ce qu'il va faire? se dit Antonio.

Il trouvait le besson bien grandi.

— Qu'est-ce que tu vas faire?
30   — Mettre le feu.

---

[9] *carne de bœuf* — *literally,* ox-carrion; *by extension,* cantankerous brute,
bad-tempered person. (He is referring to his father, whose death he is
avenging, but these words are really meant to be affectionate here.)

Ils regardèrent les bêtes. Elles étaient toutes levées maintenant et déjà quelques-unes secouaient la tête.

— Ouvrir la porte rien que d'un vantail, dit le besson.

Puis il prit la lampe, il dévissa le petit bouchon du réservoir à pétrole. Il fit un tas de paille. Il l'arrosa de pétrole. A mesure qu'il vidait, la flamme de la lampe baissait puis elle s'éteignit tout à fait.

Il ne restait que le brasillement de la mèche. Le besson souffla dessus. Il la jeta sur le tas de paille.

Il y eut un moment d'obscurité et de silence puis, tout d'un coup, glouf, la flamme creva dans la paille, comme une bulle rouge.

Ils sortirent de l'étable. Ils allèrent voir les deux bouviers endormis de coups de poings. Ils dormaient toujours.

L'incendie était déjà rouge à pleine porte[10] mais sans bruit de feu. On entendait seulement les taureaux qui commençaient à danser.

— Toi, dit le besson, tu vas mettre le feu au bout, là-bas . . .

Il montrait les étables noires, au fond, à droite.

— . . . et moi là-bas.

— Tout, dit-il.

Devant la fenêtre éclairée du logis on voyait passer et repasser l'ombre de Gina la vieille. Elle parlait toujours.

— La langue bat où la dent fait mal,[11] dit le besson.

Il toucha le bras d'Antonio.

— Mon père, dit-il . . .

C'est ce qui jeta Antonio dans la nuit.[12] En courant il toucha sa poche. Il avait son briquet. Il regarda derrière lui. Le besson courait de l'autre côté. Une fumée tremblante d'éclairs rouges

[10] *L'incendie était déjà rouge à pleine porte* — The entire door was now glowing red from the flames.
[11] *La langue bat où la dent fait mal* — The tongue sucks where the tooth hurts (*proverbial saying*). The twin is referring here to Gina's mourning.
[12] *C'est ce qui jeta Antonio dans la nuit.* — The twin's mention of his father reminded Antonio that he was partly responsible for his death.

sortait de l'étable. Un taureau hurla à la peur. Il y avait
là-bas dedans une danse de sabots, de coups de cornes dans
les murs de bois, de gros corps qui poussaient le vantail bardé
de fer. Un taureau bondit dans la cour. Il traînait entre ses
5   jambes de la paille enflammée. La fenêtre s'ouvrit.

— Quoi? cria Maudru. Puis: «Au feu!»

Il poussa encore un grand cri en langage taureau et les
bêtes qui sautaient dans le feu, là-bas, lui répondirent.

Le taureau qui était sorti s'approcha de la fenêtre en
10 galopant.

Le besson avait disparu de l'autre côté de la fumée. Antonio
se remit à courir. Il se cacha à plat ventre derrière l'abreuvoir.
Deux bouviers venaient à la course des étables noires. Ils
allaient vers le feu. Il avait pris maintenant une énorme santé.
15 Il bondissait vers le ciel plein de fumées et d'ombres, tout
traversé de taureaux boulés à pleines cornes vers le frais de la
nuit.[13] Devant le feu, des ombres d'hommes s'agitaient. La
maison criait de toutes ses poutres. Antonio se releva. Il alla
à la grande porte de l'étable du bout. Il chercha la clenche
20 avec sa main. Dedans, les taureaux s'étaient aperçus que les
gardiens étaient partis. Ils soufflaient. Ils s'interrogeaient à
voix basse. Ils marchaient doucement dans la paille l'un
vers l'autre.

Antonio entra. Le fanal allumé était resté là. Il renversa le
25 pétrole dans la paille. La flamme sauta tout de suite. C'étaient
des taureaux plus jeunes. Ils soufflèrent en tapant du pied. Ils
se poussaient en cul les uns les autres vers le mur du fond.
Des pendeloques de foin sec tombaient des trappes de la
grange. La flamme échela jusque là-haut. Elle resta un moment
30 à fouiner puis on l'entendit qui étripait le fourrage dans le
long grenier plein de courants d'air.

[13] *tout traversé de taureaux boulés à pleines cornes vers le frais de la nuit* — all
criss-crossed with bulls straining with all their horns to reach the coolness
of the night.

Antonio vit une petite porte dans le mur de droite. La
flamme la faisait mirer, car elle était toute cloutée de gros
clous de fer. Il sauta vite là-bas vers ça. Il la poussa. C'était
derrière une autre étable paisible, la ferme se continuait par
là. Une étable en pierre avec des voûtes. Des vaches. Des   5
veaux. Des ballots de paille serrés dans des liens. Il sortit son
grand couteau. Il coupa la corde. Il éparpilla la paille. Il
regarda autour de lui. Il y avait là-bas au fond une grosse
lucarne ronde comme dans les églises et toute ouverte. Ici, ça
ferait bien cheminée. Un peu de feu et il y aurait un tirant   10
du diable[14] sous ces voûtes. Les vaches inquiètes se dressaient.
Elles faisaient claquer leurs langues dans les trous de leurs
museaux. Les veaux arrivaient près d'elles. L'étable où Antonio
avait allumé le feu en premier se vidait de taureaux mugissant
dans la nuit. On n'entendait pas l'autre incendie là-bas de   15
l'autre côté. Les murs étaient trop épais.

Antonio allait battre le briquet. Il se coucha dans la paille.
Une porte venait de s'ouvrir. Entre les jambes des vaches il
vit deux jambes d'homme. Comme elles arrivaient près de lui
Antonio les serra dans ses bras et l'homme tomba. Antonio le   20
frappa dans les côtes. Le poing de l'homme frappa à vide dans
la paille.[15] Il en avait. Antonio se dressa sur ses genoux. Il
saisit la tignasse de l'homme, il lui renversa la tête en arrière.
Il le frappa très vite deux fois à la pointe du menton, puis
encore un coup dans les côtes. On n'y voyait pas là. Il toucha   25
le visage avec le plat de la main. La bouche était ouverte,
lèvres retroussées, dents froides, les yeux fermés. Il tira l'homme
par les bras jusqu'à la porte par où il venait d'entrer. Ça donnait dans le logis même. Il l'allongea sur les dalles. Il revint
battre le briquet. Il alluma la paille à cinq endroits. Il entra   30
dans le logis et il ferma la porte.

---

[14] *il y aurait un tirant du diable* — it would make a devil of a draft.
[15] *frappa à vide dans la paille* — missed him and struck only the straw.

C'était un homme de peau rousse avec des taches de son sur les joues. Les coups de poing lui avaient écorché le menton. Les vaches là-bas essayaient de sortir. Elles ne criaient pas. Elles se bourraient toutes ensemble contre la petite porte; 5 chaque fois il devait en passer une ou deux, puis elles battaient encore au bélier les murs et la porte. La maison en tremblait chaque fois comme si elle avait eu la hache au pied. L'incendie de la grange hurlait d'un long hurlement doux à plein plaisir.[16] Un petit veau gémissait, battait de la tête contre la porte du 10 logis. Une fumée épaisse suintait lentement par l'huis.

Ici c'était la salle où tout à l'heure Gina se promenait en parlant. Il n'y avait plus personne que la table vide, les escabeaux renversés, l'âtre avec du feu domestique, la fenêtre ouverte. Le vent de la nuit faisait battre le volet. Il y avait 15 dehors un tumulte de mugissements et le craquement des grands bras de l'incendie. Antonio se lécha les lèvres. C'était le cœur de la ferme. Une armoire, le battant ouvert, avec des livres de comptes dedans. Pendue au mur une grande planche avec les empreintes de toutes les marques de bœufs. L'ordre 20 de service écrit de la main de Gina. Antonio se lécha les lèvres, s'approcha pour lire:

«Servery clos 5.

«Ressachat clos 9, mener au sel.

«Burle — le gros des vieux — conduire aux pâtures hautes . . .» 25 La maison tremblait. Le vent ferma le battant de l'armoire à comptes. Un gros écrasement de flammes illumina tout le dehors avec la course éperdue des taureaux tous noirs de nuit.

Antonio se passa la main sur la joue. Il n'y avait pas grand'chose à allumer ici. Les livres brûlent mal. Un escalier 30 prenait dans le coin à côté de l'âtre. Ça devait aller aux chambres. Il monta.

---

[16] *L'incendie . . . à plein plaisir.* — The fire in the barn gave forth its long soft whine to its heart's content.

Il fallait aller doucement. Sûrement ils étaient tous dehors à essayer, mais . . .

Juste il entendit ouvrir en bas et un gros pas qui s'embronchait dans les escabeaux.

— Tavelé! Tavelé!

C'était Maudru.

Il grogna encore un grand mot puis il sortit en courant.

Dehors le bruit s'enflait et retombait comme le langage d'un grand vent. C'était, au plus haut, le ronflement des flammes, le craquement des murs, des poutres, des portes, l'écho des hangars, le mugissement des taureaux et la sourde cavalcade des bêtes dans les prés contre. Quand tout ça s'apaisait un peu, le bruit se relevant et s'envolant en haut de la nuit, il y avait alors en bas comme un grésillement de graisse au feu; les cris des bouviers et, au milieu, en plus gros, les cris de Maudru avec sa voix de vallon. On ne savait pas s'il parlait aux hommes ou aux bêtes. Les hommes répondaient, les bêtes répondaient à cette voix. L'incendie même . . . des hauts de la nuit le fléau bleu de la flamme retombait en ronflant, faisant craquer toute la ferme.

Il n'y avait qu'un seul étage au logis. Antonio poussa une porte. Il fit claquer son briquet. Ce devait être la chambre de Maudru: un petit lit tout maigre en cage de fer avec des pieds à roulettes, un drap gris encore froissé, un oreiller noir à force de graisse de tête. Au milieu du lit un gros trou comme effondré. Oui. La cruche d'eau, la veste d'ours. C'était Maudru. En abaissant son briquet, Antonio éclaira une valise de cuir au milieu de la chambre.

Il mit le feu dans la chambre de Gina la vieille. Dans la paillasse, le matelas éventré, les jupes, les robes, les fichus. Il cassa le miroir et un flacon de parfum. Il ouvrit la fenêtre et la porte pour que le feu tire bien.

Il pensa au Tavelé étendu par terre, en bas, avec des coups
de poing dans le menton. Il fallait le tirer dehors. Il descendit.
On parlait dans la cuisine. Il alla sur ses pieds nus jusqu'au
détour des escaliers. Il regarda.

5   La vieille Gina et un homme.

— Il a dû se frapper dans quelque chose, dit-elle.

— Et les deux là-bas contre le mur? dit l'homme. Et ce feu
qui a pris aux quatre coins? dit l'homme. Prenez les pieds,
maîtresse, dit-il.

10   Ils se penchèrent sur le Tavelé. L'homme prit la tête, Gina
les pieds. Ils l'emportèrent dehors. Gina marchait à reculons.

— Pour cette putain de fille, dit Gina.

Antonio se coula dehors par la lucarne de la souillarde. Ça
donnait derrière, dans les bois de fayards. De ce côté-ci il n'y
15   avait que des flammes. Le vent les poussait. Elles glissaient
dans l'herbe, puis un peu plus loin elles pliaient les genoux et
elles sautaient d'un grand saut bleu se perdre dans les arbres
et dans la nuit.

Antonio courut jusqu'au bois. Les grands troncs des fayards
20   chauffés de loin craquaient. Un bœuf était là arrêté. Il avait
les yeux fixes illuminés par les bonds de la flamme. D'ici on
pouvait bien voir. Il n'y avait plus rien dans la ferme que de
la colère de feu et de fumée. Elle était maintenant embrasée
tout au long avec plus rien de solide et d'assis, mais toute
25   molle, pétrie par les flammes. Elle avait dû perdre tous ses
taureaux. On les entendait mugir et galoper dans les prés, mais
elle avait dû garder des veaux, des vaches. Une odeur de carne
et d'os calcinés remplissait la fumée.

Une trompe se mit à sonner, loin dans la montagne.

30   — Et de là-bas? se dit Antonio.

Ça voulait dire: et du côté besson, qu'est-ce qui se passe?
Toutes les étables de droite, les sept étaient en feu, mais on
entendait crier les hommes. Il n'avait vu personne lui de son

côté, sauf ce Tavelé qu'il avait endormi à coups de poing. Ils avaient l'air d'être tous là-bas à chasser. Le vent et les remous du feu faisaient tourner leurs cris comme un vol d'oiseaux.

Antonio boutonna sa veste maudrute, enfonça sur sa tête le béret bouvier et s'en alla vers ces cris et cette chasse dans la fumée. Il se disait: et le besson?

Maudru était debout sur le plus gros tas de fumier. Il dirigeait ses taureaux. Il essayait de leur faire comprendre qu'il fallait sortir de la cour et s'en aller galoper dans les prés d'autour sans plus penser à ce feu. Il leur disait que le jour allait venir, que ça, l'incendie, c'était ce que c'était mais que ça n'était rien au fond. Le principal c'était qu'on allait dès demain partir pour les pacages d'été. C'est un peu tôt mais là-haut il y a des baraques.

— Et allez, criait Maudru, et il montrait les grands prés nocturnes.

Mais les taureaux reniflaient l'odeur de viande brûlée. De temps en temps, dans les braises de gauche, là-bas, un ventre de vache éclatait: pis, ventre et tout, et, tout d'un coup, ça sentait la tripe, le lait, l'herbe aigre. Les taureaux se dressaient sur leurs deux pattes de derrière comme des boucs qui se battent et ils essayaient d'encorner les flammes du bout de leurs cornes claires. Ils reniflaient fort. Ils avaient de gros paquets de bave sous leurs babines. En retombant ils restaient un long moment immobiles comme des taureaux de pierre, sans rien écouter, à regarder danser le feu.

Antonio s'approcha de là. Maudru appela Aurore.

Un bouvier arriva en courant.

— Vous l'avez? demanda Maudru.

— C'est lui qui nous a.

— Encore?

— Il y en a trois d'étendus là-bas.

Il montrait le coin du hangar dans la fumée.

— Je crois que Carle aussi.

— Il était là à la minute,[17] dit Maudru.

— Eh! bien oui!

— Alors il faut que ce soit, dit Maudru . . . je ne sais pas.

5   Et il appela Aurore.

Antonio entra dans la fumée avec le bouvier. Il vit passer devant lui une carrure qu'il connaissait. Mais elle était agrandie par la fumée et les éclatements de la flamme. Le bouvier trembla comme un homme qui s'embronche.

10   — Ho! cria Antonio.

— C'est toi? dit le besson.

Il avait déjà agrafé le bouvier par le col et il le retenait. L'homme avait déjà le cou mou et les bras pendants. Il l'allongea par terre d'un autre coup de poing.

15   Antonio et le besson s'élancèrent dans le plus gros de la fumée. Antonio se mit à frapper lui aussi chaque fois qu'il rencontrait un bouvier seul. Quand ils étaient deux ou trois il passait en criant. Chaque fois qu'il en avait un seul en face de lui il frappait de toutes ses forces.

20   — Alors, alors,[18] disait l'homme étonné, puis il tombait.

Au moment où le corps du logis s'embrasa tout entier en craquant comme un feu de figues, avec ses parquets de sapin et ses lambris graissés, le besson empoigna un grand bouvier à barbe. Il avait l'air vieux. Il était dur d'épaules. Il reçut le

25   coup dans sa barbe mais il l'évita un peu et il se bourra en avant en moulinant au marteau avec ses grands bras.[19] Le tranchant de son poing frappa le besson sur la lèvre. La fumée se battait autour d'eux. Le bouvier serra le besson à la ceinture et il le plia en arrière. Le besson perdit pied. Il prit le cou de

30   l'homme dans ses mains. Il appuya ses deux pouces sur la

---

[17] *à la minute* — just a minute ago.
[18] *Alors, alors* — Well what for? *or* What's the matter?
[19] *il se bourra en avant . . . ses grands bras* — he rushed forward dealing hammer blows with his large arms flailing like a windmill.

cannelure du gosier. Ils tombèrent tous les deux. La bouche
du bouvier sentait l'oignon. Le besson se redressa.

L'énorme toiture des granges s'effondra. Un mur se renversa
en faisant courir toutes ses pierres dans le pré. Il y eut un long
moment de grandes flammes silencieuses. Maudru parlait aux   5
taureaux. Ils commençaient à comprendre et à regarder vers
les pacages. L'aube verdissait et l'herbe commençait à luire.

Le besson s'enfonça ses doigts dans sa bouche et se mit à
siffler. Le sang de sa lèvre fendue giclait entre ses doigts.

— Qui siffle? cria Maudru.   10

Les taureaux écoutaient le sifflet. Ils avaient plutôt tendance
à obéir à ce sifflet qui les tirait vers le feu. Maudru descendit
de son tas de fumier et marcha vers la fumée d'où venait cet
autre commandement des bêtes. Antonio le vit arriver. Il
marchait en traînant la jambe comme là-haut à Maladrerie.   15
Le reflet de la flamme éclairait son nez de chien. Mais il avait
toujours ses yeux tendres, une amertume grise et fatiguée.
Le taureau Aurore le suivait. Le taureau se méfiait; il regardait
dans la fumée de droite et de gauche. Maudru s'en venait face
au siffleur, lentement, sans se détourner.   20

Antonio se cacha derrière une benne à grains.

C'était l'aube. L'air plus lourd avait abattu la fumée, les
flammes se clarifiaient dans le ciel où passait un peu de
lumière. La ferme n'était plus que charnier avec sa poitrine de
poutres calcinées et ses murs pourris. Du tas des vaches mortes   25
jaillissait de temps en temps une longue flamme jaune aiguë
comme de l'or et qui éclatait là-haut dessus en jetant une odeur
boueuse de graisse brûlée.

Maudru s'avançait en traînant la jambe.

Il n'y avait plus rien à faire pour Puberclaire — murs et   30
poutres — il y avait encore à faire pour Puberclaire taureaux.
Il fallait décider les bêtes à partir pour les pacages lointains.
Tout de suite. Leur donner de l'herbe et du calme. Tout de
suite. Loin de ce rouge feu, de cette odeur. Elles tournaient

déjà en rond dans de grands galops. Tout de suite où la danse
allait commencer, Aurore meugla vers ses frères.

Le besson était accroupi dans une draille. Autour de lui la
fumée s'entassait comme une pelote de laine noire. Il sifflait à
5   petits coups en balançant la tête et son sifflet semblait venir de
tous les coins du vent.

Antonio se mit à ramper sous la fumée. Maudru enjamba
la draille. Le besson se tourna lentement dans son trou. Il
avait son couteau ouvert à la main. Il se redressa pour sauter
10 sur Maudru qui marchait maintenant devant vers les fayards.
Un homme tomba de tout son poids sur les épaules du besson.
Ils roulèrent tous les deux dans la draille. Le besson frappa un
coup de couteau. La lame s'enfonça dans la terre. Une main
de fer lui serra le poignet. Il mordit le bras à pleines dents. La
15 main serra très fort sur le nerf du pouce. Il lâcha le couteau.
Il reçut un coup de poing au joint des mâchoires mais il était
dessus. Il releva la tête. Il assura ses genoux, l'homme se tordait
sous lui.

— Lâche-moi! cria Antonio.
20 Le besson le frappa sur le front, près de la tempe.

— C'est moi! cria Antonio.
Le besson le frappa encore près de la tempe. Il essayait de
se dégager pour courir derrière Maudru.

— Laisse, dit Antonio.
25 Il frappait le besson à coups de poings dans le ventre. Il
essayait de se tourner, de le renverser pour se coucher sur lui
et le tenir.

— Le jour, le jour, criait Antonio, laisse-le. Viens besson,
assez.
30 Il replia sa jambe et il frappa le besson sur la tête avec son
pied, de toutes ses forces. Le besson le bourrait dans les côtes.
Il eut deux ou trois coups de poings alignés. Il souffla. Antonio
lui donna un coup de pied dans la hanche. Les cuisses qui le
serraient se desserrèrent. Il bomba les reins. Le besson flottait.
35 Il le fit chavirer à côté de lui dans la draille.

Là-bas, près des fayards, Maudru appelait les taureaux.
Le sifflet n'appelait plus. Ils commencèrent à répondre à la
voix. La galopade s'arrêta. Puis les taureaux s'élancèrent au
grand trot vers le maître.

— Assez, dit Antonio. Laisse-le celui-là. On a fait plus que   5
le compte.[20] Viens.

Le besson le frappa d'un grand coup de poing mou en pleine
figure. Antonio le saisit au poignet et commença à lui tordre
le bras.

— Ça va être le jour, dit Antonio, viens. Profitons, partons.   10
Gina.[21] Tu entends? Partons tous aujourd'hui, le fleuve, profitons. Tu entends?

De son genou libre le besson lui écrasait le tendre du ventre.
Antonio lui donna un coup de coude dans le nez. Il lui tordait
toujours le bras.   15

— Ecoute, souffla Antonio, écoute. Il faut partir aujourd'-
hui avec Gina. Tu m'entends?

Il le frappa sous le menton.

— Partir là-bas, ton pays. La forêt. Tu te souviens?

Il se mit à crier tout d'un coup comme une bête; le besson   20
avait détendu sa jambe en plein dans son ventre.

Couchés tous les deux dans la draille, couverts de fumée,
les flammes claquaient doucement dans le jour levant comme
de grands draps au séchoir. On entendait sur les premières
pentes de la montagne le troupeau des taureaux qui commen-   25
çait sa route de sauvetage.

Le besson enjamba Antonio. Il s'allongea sur lui. Il soufflait
à grandes haleinées lentes. Il mit sa bouche molle près de
l'oreille d'Antonio.

— Mon père, dit-il, mon père, mon père!   30

Il avait la joue toute mouillée de larmes.

---

[20] *On a fait plus que le compte.* — We have more than paid him back in full.
[21] *Profitons, partons. Gina.* — Let's seize this opportunity and make off. (The
Gina referred to here is the younger Gina, daughter of Maudru, with
whom the twin has eloped.)

Noé
(1947)

Since Noé *attracted little attention on its first appearance in 1947 when Giono was still under a cloud because of his pacifism during the war, he has recently reissued it, for it is his own favorite among his writings. Not truly a novel, its autobiographical character renders it a sort of sequel, conceived in his maturity, to the personal recollections of his boyhood contained in* Jean le bleu. *It has been called "the novelist's novel," since it offers so many insights into the author's method of composition, and has been compared in this respect to Gide's* Journal des faux-monnayeurs.

To help the student appreciate this excerpt he should understand that Giono was put in prison at the outset of World War Two for his uncompromising pacifism. The rather curious title has been explained by the French critic Robert Kanters as "the first word of M. Giono on leaving the ark after a deluge of fire which almost ruined forever his confidence in man and his confidence in his art . . . quite rightly wishing to write the novelist's novel, he chose for his title the name of the man who one day had to reinvent all by himself the whole of inundated creation." The reader will notice in this selection the blend of humor with poetic fantasy which are characteristic of so much of Giono's later work.

NOE

Il y a bien toujours quelques mâts (il y a très peu de mâts dans le port de Marseille) mais il y a surtout, haut sur l'horizon et murant entièrement tout le fond de la Canebière,[1] le magnifique corps en forme de couronne du fort Saint-Nicolas. Le grand mur du fort qui me fait face se termine vers la gauche par une belle arête de proue. C'est exactement dans cette proue que j'avais ma cellule en 1939.

J'ai passé dans cette prison quelques-unes des plus belles heures de ma vie. Je ne mens pas. Notamment un matin de novembre vers six heures. J'étais sorti la veille au soir d'une réclusion complète de vingt jours sans lumière (nourri une fois tous les quatre jours; ce qui est d'ailleurs une erreur. Je me souviens d'avoir dit au gardien quand je suis sorti que, pour que la réclusion soit intenable, il faudrait nourrir le reclus de faisans et de langoustes. Alors oui, il s'énerverait contre les murs. Mais, avec ma demi-boule de pain et ma cruche d'eau

[1] *la Canebière* — the most famous avenue of Marseilles.

tous les quatre jours, que voulaient-ils que je fasse, sinon rêver?
Et, rêver, ils étaient bien petits garçons pour reclure mes rêves).
Quoi qu'il en soit, on m'avait sorti de là et mis au régime des
droits communs.[2] C'était parfait.

5   J'avais cependant remarqué quelque chose. Je souffrais d'être
privé de lecture. Je me disais: ce ne sont ni les histoires ni les
récits qui te manquent; depuis vingt jours tu t'es raconté plus
d'histoires qu'il n'y en a dans les mille nuits arabes. Il était
malgré tout incontestable que le manque de lecture me faisait
10   souffrir. Ce devait être une chose connue de ceux qui avaient
plus l'habitude que moi de la réclusion car j'étais à peine enfermé dans ma nouvelle cellule (accolée à d'autres, celle-là,
et fermée simplement de grilles) que je m'entendis appeler à
voix basse par mon nom, et d'une cellule voisine, on me
15   demanda si je ne voulais pas un livre. Celui qui m'appelait
était collé contre les barreaux de sa porte comme un grand
singe, de l'autre côté du couloir. J'apercevais sa forme grâce
à la lampe grillagée elle aussi, qui, de l'autre côté d'une fenêtre,
éclairait la cour de la prison. Il me dit qu'il allait passer le
20   livre à travers les barreaux et l'envoyer bien à plat, le plus
près possible des miens. Je lui demandai ce que c'était. Il me
dit: «C'est un truc d'Alexandre Dumas.» Il fit comme il disait,
mais j'eus beau étendre mon bras hors des barreaux, ma main
ne put pas rencontrer le livre dans l'aire qu'elle pouvait
25   atteindre. «Attends, dit-il, je vais appeler le papa Muller.» Il
tapa contre les parois de sa cellule et celui qu'il appelait le
papa Muller mit lui aussi le nez aux barreaux (je dois dire
qu'il était neuf heures du soir et par conséquent nous étions
obligés au silence, en principe). Papa Muller était un Alsacien
30   que je connus mieux par la suite quand il nous raconta comment
il avait fait une petite fortune en vendant des épingles anglaises

---

[2] *Et, rêver . . . communs.* — As far as dreaming was concerned, they weren't
big enough lads to confine my dreams. However that may be, they had
brought me out of there and put me on the regular prison fare.

aux Indiens du bassin de l'Amazone. Ils s'en faisaient des
colliers, paraît-il, et ils les achetaient par dizaines de grosses.
Pour ce soir-là, le papa Muller me fit passer fort adroitement
une règle qu'il détenait (contrairement à tous les règlements)
et qui était destinée à aider précisément le petit trafic de cellule   5
à cellule. Grâce à la règle, je pus faire glisser vers moi le livre
qui était tombé hors de mon atteinte. Je rendis la règle à papa
Muller et, au moment de la ronde de dix heures, tout était
parfaitement en ordre et chacun chez soi en train de dormir,
ou de faire semblant.   10

Il n'était naturellement pas question de lire dans cette
obscurité rouge. Mais je m'aperçus avec stupéfaction que mon
appétit se satisfaisait. Le poids, la forme du livre donnaient à
mes mains un plaisir magnifique et très suffisant pour l'instant.
J'étais déjà bien calmé quand au matin on nous fit sortir dans   15
la cour, aux premières lueurs de l'aube.

C'était une aube admirable, à peine un peu citronnée de
froid.[3] Au-dessus du préau de la prison s'écartaient de très
beaux nuages verts qui avaient la forme d'une immense aile
d'ange, un ange qui se serait tenu au-delà des murs, debout   20
dans la mer qu'on entendait battre contre le flanc du fort. Je
me réhabituai peu à peu à la lumière, tenant bon jusqu'au
moment où je vis passer, au-dessus de la prison, une mouette
nonchalante. Alors, j'ouvris mon livre et, tout en faisant les
cent pas, je me laissai envahir par le bonheur. Il ne s'agissait   25
pas de lire; aux livres des prisons, quels qu'ils soient, il manque
une page sur deux (l'autre a servi aux soins intimes. La priva-
tion de papier hygiénique est si avilissante qu'on se servirait
du *Cantique des cantiques* si on l'avait sous la main au moment
où l'on en a besoin). Il s'agissait même si peu de lire qu'au   30
bout d'une minute je tins le livre à l'envers et, ainsi tenu, il
me donna le plus grand plaisir qu'un livre ait jamais pu me

[3] *citronnée de froid* — sharpened by cold.

donner (à part Don Quichotte).[4] C'était une bénédiction de l'œil. Ce n'était pas mon esprit qui était affamé du livre: c'était mon œil qui était affamé de typographie. Je n'avais pas été privé d'esprit (Dieu merci!), j'avais été privé de cette
5   forme typographique dont mon œil avait l'habitude de se repaître et dont il se repaissait maintenant, à son aise, dans le calme du matin, sous l'aile verte de l'ange.

Il paraît que vingt jours de *mitard*,[5] comme je venais de passer, c'était beaucoup. J'étais maintenant avec des voleurs
10   professionnels et un assassin (passionnel) qui me le dirent. Je fus très gêné avec eux au début parce qu'ils avaient l'air de croire que j'étais *un dur*.[5] Ils savaient bien qui j'étais, et que j'étais là pour des raisons qu'ils appelaient, fort justement d'ailleurs, *des coneries*.[5] Mais le fait que j'avais passé vingt jours
15   au *mitard* sans y devenir *marteau*[5] leur plaisait. Que j'en sois sorti avec ma bonne humeur les avait comblés de joie. *Tu le leur as bien mis*,[5] me disaient-ils.

Je ne les détrompais pas. Mais, si j'avais fait ce qu'ils disaient, c'était bien par surcroît et en pensant à autre chose. Cette aile
20   verte, cette aile d'ange au-dessus de la prison, on va la retrouver. Et l'on va également retrouver ce qui, bien indûment, me faisait passer pour *un dur*.

(J'ai appris avec une stupeur amusée après ma mise en liberté que le sergent-chef Césari n'en dormait plus la nuit,[6]
25   à cause de ma *dureté*. Pendant plus de trois semaines, paraît-il, il me surveilla lui-même à travers une lucarne qui donnait dans le préau. Le bruit courait que je fomentais, je ne sais

---

[4] *Don Quichotte — Don Quixote*, the famous novel of Miguel de Cervantes Saavedra, published 1604-1614.
[5] *Tu le leur as bien mis* — You have certainly put one over on them. (The preceding words in italics are slang: *mitard* — solitary; *un dur* — a hard-boiled person, a tough nut; *des coneries* — stupidities; *marteau* — cracked in the head.)
[6] *n'en dormait plus la nuit* — couldn't sleep at night on this account.

quoi, une révolte — pour quoi faire, mon Dieu?[7] — alors que,
fort simplement, je racontais des histoires à mes camarades
assis autour de moi. De simples histoires, monsieur Césari, dor-
mez sur vos deux oreilles: des Tristan et Yseult,[8] des Roland
furieux,[8] des Persilès et Sigismonde.[8])   5

On me libéra vers la fin de novembre. La *Nouvelle Revue
Française* allait publier la traduction de *Moby-Dick*[9] que nous
avions achevée peu de temps avant la guerre, Joan Smith,[9]
Lucien Jacques[9] et moi. J'avais l'intention de faire précéder
cette traduction d'un petit livre de salutation à Melville.   10
C'est ce que je commençai à écrire tout de suite après être
sorti de prison. Les événements ne m'avaient pas laissé le
temps de me procurer en Amérique les documents nécessaires
pour composer une solide étude de la vie de l'écrivain. Je
connaissais tout juste de lui une biographie approximative,   15
mais j'avais — à ma place — traduit son livre avec amour et
j'avais l'impression — que j'ai toujours — de fort bien connaître son cœur. Son vieux cœur mort. Je composai donc mon
livre sur lui tout simplement avec mes souvenirs de prison.

On m'a souvent demandé: «Vous n'écrirez rien sur le temps   20
que vous avez passé en prison? — Certes non, dis-je, pour le
faire, il faut y avoir passé longtemps, être Latude[10] ou Dostoïevski.[10] Mon livre de prison c'est: *Pour saluer Melville.*»

[7] *je ne sais quoi . . . mon Dieu?* — some kind of revolt — what for, good
heavens?

[8] *Tristan et Yseult* — famous twelfth-century love story in verse; *Roland
Furieux* — *Mad Roland* or *Orlando Furioso*, the mock epic of Ariosto, 1516;
Persilès et Sigismonde — *Persiles y Sigismunda* (1617), the last work of
Cervantes.

[9] *Moby-Dick* — the most famous novel of Herman Melville, 1851; *Joan
Smith* — an English girl living in Provence; *Lucien Jacques* — Giono's
lifelong friend, who died in 1960.

[10] *Latude* — Jean-Henry Latude, born 1725. He was imprisoned for forty-
five years; his prison memoirs became known and resulted in his being
freed. *Dostoïevski* — 1822-1881, famous Russian novelist whose death
sentence was commuted to ten years' imprisonment in Siberia.

Je ne sais plus à cause de quoi je ne m'installai pas comme d'habitude dans mon cabinet de travail en haut de la maison. Si; je me souviens maintenant: les maçons étaient en train d'y construire une cheminée. Je me mis donc, pour écrire, dans ma
5   bibliothèque, au rez-de-chaussée. C'est une longue pièce au bout de laquelle, par une arche couverte d'une tenture, on entre dans une assez grande resserre où je tiens des grains, des légumes secs et toute espèce de provisions fermières. Ce local sans porte donne au nord et est froid. C'est d'ailleurs pourquoi
10   je l'utilise comme grenier, mais il entretient dans la biblio-thèque une atmosphère glaciale et sonore.

On était en décembre. J'avais beau allumer du feu dans la grande cheminée et tirer chaque jour ma table de plus en plus près du brasier, je n'arrivais à me réchauffer qu'à grand-
15   peine.

J'ai toujours aimé avoir froid aux mains quand j'écris, ce qui ne m'est guère difficile car j'ai les mains glacées même en été (cela signifie simplement que pendant que j'écris cette phrase j'ai un très grand froid aux mains; et que c'est pour
20   cela que je l'ai écrite). Mais, cette fois, c'étaient non seulement les mains, mais les poignets, les bras, les épaules, les genoux et les pieds; il n'y avait que mon dos qui rôtissait jusqu'à en avoir la peau craquante, mais sans profit pour le reste du corps. La lumière était également très différente de celle dont
25   j'ai l'habitude dans mon cabinet de travail. Il est sous les toits et, comme ma maison est bâtie sur le flanc d'une colline, mes fenêtres contiennent plus de ciel que de terre; ce qui donne une très grande sensation de liberté. La bibliothèque, au ras du jardin, était, malgré sa large fenêtre, obscurcie par les
30   branchages des arbres et le feuillage sombre des cyprès. Cette obscurité, jointe au froid et à la sonorité de cette longue pièce, doublée d'un grenier sur les murs duquel le moindre vent tambourinait, continuait à me tenir entre les murs du fort Saint-Nicolas.
35   J'y avais au long des solitudes du quartier des droits com-

muns,[11] savouré les étranges voluptés des échos, de l'ombre,
du froid, et des voyages dans l'entrecroisement vertigineux
d'échelles de Jacob[12] qu'une âme sensible ne manque pas
d'échafauder dans le vide des bâtiments à vastes carcasses. Il
en était né, non pas un personnage, mais un curieux volume   5
informe de sentiments divers, quelquefois contradictoires, à
quoi la contradiction même donnait l'unité et la vie. Si une
ville est un personnage, ou la mer, ou un massif de montagnes,
ou le brasier des passions, alors oui, ce volume de sentiments
auquel je ne pouvais donner aucune forme en était un. Il   10
m'accablait de mille jouissances très vives, mais je ne pouvais
pas me le représenter. Si j'essayais de le faire et de lui donner
forme d'homme, ou de femme, à peine avais-je tendu autour
de lui une peau quelconque qu'elle se boursouflait comme le
drap avec lequel on veut éteindre des flammes, puis elle cra-   15
quait de partout, laissant jaillir (dans des formes dont je n'étais
plus le maître) des romanesques, des passions, des sensualités,
des amours, des générosités, des égoïsmes, des haines, tout un
pandémonium. Ce qu'on pouvait simplement en dire — et je
me l'étais dit, couché, les yeux ouverts, sur ma couchette   20
étroite — c'est que c'était bien un personnage à faire arriver
en face d'un poète au détour d'un chemin.

Je m'étais donc mis à écrire, non pas ce qu'on appelle d'ordinaire une biographie, ou une vie romancée, mais une sorte
d'hommage à Melville, une *salutation* dans laquelle je voulais   25
surtout lui dire que j'aimais beaucoup la tendresse timide de
son cœur forcené; qu'il n'avait pas réussi à se cacher tout entier
sous ses baleines, ses Squid, ses Achab,[13] ses Quequeg,[13] et ses
orages tonitruants; qu'il en dépassait assez pour que, le saisis-

---

[11] *au long des solitudes . . . communs* — during the enforced silent periods
when I was in the regular prisoner quarters.
[12] *échelles de Jacob* — "Jacob's ladders", allusion to Jacob's dream that he
saw a ladder extending from earth to heaven (Genesis 28:12).
[13] *Achab* — Ahab, captain of the whaler "Pequod" and the hero of *Moby
Dick; Quequeg* — Queequeg, the savage who became the bosom friend of
Ishmael, who tells the story.

sant par là, on le tire de sa saumure et on le mette un peu à
se débrouiller simplement avec les démons familiers.[14] C'est
en poursuivant ce dessein que j'entendis autour de moi des
bruits de jupe, des bottines craquantes, et enfin une petite toux.

5   Ayant levé les yeux et cherché autour de moi avec beaucoup
d'attention, je vis, dans la partie la plus sombre de la bibliothèque, une silhouette de femme qui s'éloignait. Elle devait
venir de passer près de moi et de me frôler. Elle s'éloignait en
direction de rayons de livres dans lesquels elle entra; non par

10 une porte quelconque ou par un mécanisme, mais tout simplement en se fondant dans le luisant des reliures et le brun des
basanes. J'étais très intrigué. Je n'avais pas vu son visage (c'est
pourquoi d'ailleurs Melville, d'abord, ne verra que sa main,
puis sa tournure). Je me demandais qui c'était. Je restais un

15 bon moment sans perdre de vue l'endroit où elle avait disparu.
Et j'allais me remettre à écrire quand je me sentis de nouveau
frôler, en même temps que je respirais une odeur délicieuse de
violette et de vanille (c'était l'odeur de la poudre de riz de
ma mère. Du temps de ma jeunesse c'était une odeur qui me

20 faisait rêver au point d'en rester debout, pétrifié et abruti.
Souvent, j'embrassais sa joue poudrerizée et je me mettais en
même temps à renifler si fort que ma mère se mettait à rire
nerveusement et à me dire: «Tais-toi, Jean, tu me souffles dans
le cou.» J'avais cinq à six ans; elle en avait quarante-cinq), en

25 même temps que j'entendais le craquement des bottines, le
bruit de jupe et la petite toux.

J'ai l'habitude de ces personnages qui ont ainsi l'air timide,
qui arrivent dans des moments où l'on n'en a pas besoin (il
le semble tout au moins) et qui ont l'air de dire: «Je ne vous

---

[14] *qu'il en dépassait assez . . . démons familiers* — enough of him (Melville)
was visible so that one could seize him, pull him out of his brine and place
him in contact merely with his familiar demons. (This means that one can
read between the lines of the narrative to decipher something of Melville's
personal philosophy.)

force pas à vous servir de moi. Dieu m'en préserve; je suis tel
(ou telle) que vous voyez, mais libre à vous de m'abandonner
à mon triste sort. Vous avez un plan. Evidemment, je n'ai rien
à y faire dans ce plan. Eh! bien, tenez-vous-en à votre plan.»
Ce sont, d'ordinaire, des monstres de passion, de séduction,   5
de romanesque, des pandémoniums qui font tout éclater pour
installer à la place de votre volonté ordonnée leur propre
volonté véhémente. Donc, entendant le bruit de jupe, le
craquement de bottines, la petite toux, je ne me retournai pas.
Je me dis: «Diablesse, je le connais, ton visage!» Je fis semblant   10
de m'intéresser prodigieusement à la ligne que j'étais en train
d'écrire, et c'est seulement quand le personnage m'eut dépassé
et qu'il s'éloignait de nouveau dans la partie sombre de la
bibliothèque que je levai les yeux pour le regarder.

Je l'ai décrite en crinoline (et c'est pourquoi d'ailleurs   15
maintenant je parle de bottines qui craquaient) mais, ce jour
de la bibliothèque, elle portait une jupe écossaise, des bas verts,
des souliers rouges, une jaquette de laine du même écossais vert
et rouge que la jupe et un chapeau de feutre gros comme le
poing, emplumé d'une immense plume de faucon très aiguë   20
et teinte en rouge. (Dans ma mémoire, l'atmosphère du fort
Saint-Nicolas est verte et rouge. Verte des murs humides couverts de mousse, verte de l'aile d'ange en nuages écarquillée
au-dessus du préau ou je faisais les cent pas en tenant mon
livre à l'envers — douceur de ce matin que je n'oublierai   25
jamais plus — verte de la couleur générale des visages tenus
anormalement à l'ombre et appartenant à des corps nourris de
pain, d'eau et de légumes secs. Rouge? Oh! simplement à
cause des perpétuels demi-jours et des lampes électriques à très
faible voltages éclairant les couloirs; et les lanternes que les   30
gardiens balançaient à leur poing pendant les rondes jetaient
du rouge dans les cellules devant lesquelles ils passaient; et du
rouge dans les paupières baissées sur des yeux qui imitaient
le sommeil, mais continuaient à voir.)

C'est ainsi qu'est née Adelina White.[15] En vérité, on ne peut pas dire que quelqu'un naît quand il arrive vêtu d'écossais vert et rouge et chapeauté d'un feutre à plume de faucon; je devrais dire: «C'est ainsi que je fis la connaissance d'Adelina White, fille du fort Saint-Nicolas. Et de ses œuvres.»

[15] *Adelina White* — the fictitious heroine of Giono's romance *Pour saluer Melville*.

Le Hussard sur le toit
(1951)

This is one of the six volumes (of which one, Pauline, is still to be completed) which make up Giono's postwar Hussar Cycle. By far the most successful of his later works, it has received from critics the same enthusiastic acclaim accorded his prewar masterpiece, Le Chant du monde. The entire cycle is inspired by filial sympathy and reverence for his forbears; the Italian hero, Angélo Pardi, is to a great extent an idealization of his "carbonaro" grandfather, and the heroine, Pauline, Marquise de Théus, is likewise a tribute to Giono's mother, whose name she bears. The influence of Stendhal on the recent work of Giono has been noted by many critics, and the reader will notice a striking resemblance between Angélo and Stendhal's Fabrice of La Chartreuse de Parme.

As has been frequently pointed out, the central character in Le Hussard is really the cholera itself, not presented allegorically as in La Peste of Camus, but taking on epic proportions as a monstrous, living force, sweeping through towns and countryside from the Mediterranean to the Alps. Yet by a strange paradox, the ultimate impression created on the reader by this work, replete with scenes of almost ghastly realism, filled with characters of sadistic cruelty and superstition, is nevertheless an optimistic one. This is due in large part to the imperturbable gayety and chivalry of the hero (called by Robert[1] the greatest

[1] Pierre René Robert, Associate Professor of French at the University of Toronto. He is the author of *Jean Giono et les techniques du roman*, published in 1961 by the University of California Press.

of Giono's characters and the one most like himself or at least what he would wish to be), and to the mystical charm and grace of its aristocratic heroine, whom we shall meet at the close of this chapter.

Angélo, crossing the mountains from Piedmont to France as a fugitive after killing an Austrian spy in a duel, makes his way in scorching summer heat along the valley of the Durance through a countryside devastated by the ravages of the great plague of 1838. Arriving in the little town of Manosque, he is attacked by the citizens who suspect him of poisoning their fountains, is temporarily rescued by the police, and seeks safety both from the plague and from the maddened and credulous citizens by fleeing to the rooftops, where we find him as this excerpt begins.

LE HUSSARD SUR LE TOIT

I

U ne nausée brûlante réveilla Angélo. Le soleil blanc venait juste de se poser sur son visage, mais sur sa bouche. Il se leva et vomit. C'était simplement de la bile. «Du moins, je crois: c'est vert.» Il avait très faim et très soif.

C'était le matin étouffant: de craie, d'huile blanche bouillante. La peau de tuiles de la ville commençait déjà d'exhaler un air sirupeux. Des viscosités de chaleur accrochées à toutes les arêtes noyaient les formes dans des toisons irisées de fils de la vierge. Le grincement incessant de milliers d'hirondelles fouettait l'immobilité torride d'une grêle de poivre.[1] D'épaisses colonnes de mouches fumaient comme de la poussière de charbon de la crevasse des rues. Leur bourdon continu établissait une sorte de désert sonore.

[1] *Des viscosités de chaleur . . . grêle de poivre.* — Waves of sticky heat clinging to all the rooftops bathed every shape in irridescent gossamer threads. The continuous squawking of thousands of swallows peppered the torrid stillness like hail.

Le jour, cependant, plaçait les choses avec plus d'exactitude que la nuit. Les détails, visibles, ordonnaient une réalité différente. La rotonde de l'église était octogonale et ressemblait à une grande tente dressée sur du sable roux. Elle était entourée
5 d'arcs-boutants sur lesquels les vieilles pluies avaient peint de longues traînées vertes. Le ressac des toitures[2] s'était aplati sous l'uniforme lumière blanche; à peine si un léger filetage d'ombre indiquait les différences de niveau d'un toit à l'autre. Ce qui, au sein de la nuit, paraissait être des tours, était simple-
10 ment des maisons plus hautes que les autres, dont cinq ou six mètres de murs sans lucarnes ni fenêtres dépassaient le niveau des autres toits. A part le clocher à la cage de fer qui, un peu à gauche, dressait un corps carré à trois étages percé d'arches, il y avait encore, là-bas au large, un autre clocher plus petit à
15 toit plat, surmonté d'une pique et, à l'autre bout de la ville, une construction éminente chapeautée d'un énorme bulbe en ferronnerie. Malgré leur aplatissement sous la lumière, les toits jouaient autour des faîtages, des chéneaux, des gênoises, des lisières de rues, de cours intérieures, de jardins qui soufflaient
20 l'écume grise de feuillages pleins de poussières, déclenchaient des marches, des paliers et des ressauts contre de petites murettes de pierre d'un blanc éblouissant ou autour de certains pignons qui haussaient des triangles. Mais la boursouflure et le pianotement de toute cette marqueterie décollée, au lieu d'être solide-
25 ment indiqués par des ombres, ne l'étaient que par des variations infinies de blancs et de gris aveuglants.[3]

La galerie où se tenait Angélo était tournée vers le nord. Il voyait devant lui, d'abord l'entremêlement de milliers d'éventails de rangées de tuiles rondes ouverts de tous les côtés, puis

---

[2] *Le ressac des toitures* — The wavy pattern of the roofs.
[3] *Mais la boursouflure . . . aveuglants.* — But the protuberances and the strumming of all this moving inlaid work, instead of being definitely indicated by shadows, were visible only through infinite variations of dazzling whites and greys.

l'étendue des toitures aux formes imprécises, diluées dans la chaleur; enfin, contenant la ville comme dans un bol de terre grise, le cercle des collines râpées de soleil.

Il y avait une extraordinaire odeur de fumier d'oiseau et parfois comme l'explosion d'une puanteur sucrée.   5

Angélo, encore à moitié endormi, essayait instinctivement d'apaiser sa faim en avalant une salive épaisse, quand il fut tout à fait réveillé par un cri si aigu qu'il laissa comme une trace blonde devant ses yeux. Le cri se répéta. Il venait manifestement d'un endroit sur la droite, à dix mètres environ où   10 le rebord du toit s'arrêtait en bordure de ce qui devait être une place.

Angélo sauta le rebord de la galerie et s'avança sur les toits. Il était difficile et dangereux de marcher là-dessus avec des bottes, mais, en embrassant une cheminée, Angélo put se   15 pencher sur le vide.

Il ne vit d'abord que des gens en tas. Ils semblaient piller quelque chose à la façon des poules sur du grain. Ils piétinaient et sautaient quand le cri jaillit encore plus aigu et plus blond de dessous leurs pieds. C'était un homme qu'on tuait en lui   20 écrasant la tête à coups de talons. Il y avait beaucoup de femmes parmi les gens qui frappaient. Elles rugissaient une sorte de grondement sourd qui venait de la gorge et avait beaucoup de rapport avec la volupté. Elles ne se souciaient ni de leurs jupons qui volaient ni des cheveux qui leur coulaient   25 sur la figure.

Enfin la chose sembla finie et on s'écarta de la victime. Elle ne bougeait plus, était étendue, les bras en croix, mais, par l'angle que ses cuisses et ses bras faisaient avec le corps, on pouvait voir qu'elle avait les membres rompus. Une jeune   30 femme, assez bien vêtue, et même qui semblait sortir de quelque messe, car elle tenait un livre à la main, mais dépeignée, revint au cadavre et, d'un coup de pied, planta son talon pointu dans la tête du malheureux. Le talon resta coincé dans des os,

elle perdit l'équilibre et tomba en appelant au secours. On la
releva. Elle pleurait. On insulta le cadavre avec beaucoup
de ridicule.

Il y avait là une vingtaine d'hommes et de femmes qui se
5   retiraient vers la rue quand le groupe qu'ils faisaient s'égailla
soudain comme une troupe d'oiseaux sous un coup de pierre.
Un homme dont on s'était écarté resta seul. Il eut d'abord
l'air hébété, puis il serra son ventre dans ses deux mains, puis
il tomba, il se mit à s'arquer contre la terre et à la labourer
10   de sa tête et de ses pieds. Les autres couraient mais, avant de
s'engouffrer dans la rue, une femme s'arrêta, s'appuya au mur,
se mit à vomir avec une extraordinaire abondance; enfin elle
s'effondra en raclant les pierres avec son visage.

— Crève, dit Angélo les dents serrées. Il tremblait de la
15   tête aux pieds, ses jambes se dérobaient sous lui, mais il ne
perdait pas de vue cet homme et cette femme qui, à deux pas
du cadavre mutilé, s'agitaient encore par soubresauts. Il ne
voulait rien perdre de leur agonie abandonnée qui lui donnait un amer plaisir.

20   Mais il fut brusquement obligé de s'occuper de lui-même.
Ses jambes avaient cessé de le porter, et même ses bras qui
embrassaient toujours la cheminée commençaient à desserrer
leur étreinte. Il sentait un grand froid dans sa nuque et le
rebord du toit n'était qu'à trois pas de lui. Il réussit enfin à se
25   coucher entre deux rangées de tuiles. Très vite, le sang remonta
à sa tête et il retrouva l'usage de ses membres.

Il regagna la galerie.

«Je suis prisonnier de ces toitures, se dit-il. Si je descends
dans la rue, voilà le sort qui m'attend.»

30   Il resta très longtemps dans une sorte de rêverie hypno-
tique. Il ne pouvait plus penser. Le clocher sonna. Il compta
les coups. C'était onze heures.

«Et manger?» se dit-il. Et il recommença à souffrir de la

faim. «Et boire? Est-ce qu'ils font comme en Piémont[4] ici?
Il y a toujours une chambre de resserre, presque sous les toits.
Voilà ce qu'il faut que je trouve. Et boire. Surtout ici dessus
avec cette chaleur! Je peux, certes, dans cette maison descendre jusqu'à la cave, mais ils sont tous morts du choléra.   5
Voilà une imprudence que je ne commettrai pas. Il me faut
trouver une maison où les gens sont encore vivants, mais
avec ceux-là ce sera moins facile. Toutefois, c'est ce qu'il
faut faire.»

Le chat gris qu'il avait dérangé dans le salon, la nuit pas-   10
sée, mit la tête à la chattière, se glissa en dépêtrant ses pattes du
trou, une après l'autre, et vint se frotter à lui en ronronnant.

— Tu es dodu, lui dit-il en le grattant affectueusement
entre les deux yeux, qu'est-ce que tu bouffes, toi: des oiseaux?
des pigeons? des rats?   15

La lumière et la chaleur étaient maintenant intenables. Le
ciel blanc écrasait les toits en poussière. Il n'y avait plus
d'hirondelles. Seules, les mouches, et en nuages. La puanteur sucrée s'était affirmée. Cette maison-ci soufflait de ses
profondeurs une haleine aigre.   20

A cent mètres de l'endroit où il se trouvait, et dans la direction de la rotonde de l'église, Angélo distingua à travers les
brouillards du soleil une autre galerie, un peu plus haute, dans
laquelle il y avait des linges étendus sur des fils de fer.

«Ceux qui ont le souci de laver et de faire sécher sont   25
vivants, se dit Angélo. C'est là qu'il faut aller. Mais attention,
bougre, ne va pas te casser la margoulette.»[5]

Il enleva ses bottes. Restait à savoir s'il allait les laisser
là, et établir son quartier général ici, où il y avait des sacs

[4] *Piémont* — Piedmont, a province of Italy adjacent to France, birthplace
of Angélo.
[5] *Attention, bougre, ne va pas te casser la margoulette.* — *Freely*, Watch out,
old boy, don't go and break your neck.

pour dormir, ou s'il partait à la grâce de Dieu à travers les toits; dans ce cas, il fallait emporter les bottes. Il trouva un bout de ficelle et cela le décida. Il passa la ficelle dans les tirants, attacha les bottes ensemble et se les mit à cheval

5   sur le cou.[6] De cette façon il avait les mains libres.

Mais l'argile des tuiles, gorgée de soleil, brûlait comme une plaque de four. Il était impossible de marcher là-dessus pieds nus ou même avec des bas. Après quelques pas, Angélo dut regagner la galerie en toute hâte. Enfin, il réussit à se faire

10   des chaussons avec de petits sacs très épais dans lesquels il mit ses pieds et qu'il noua autour de ses jambes. Il commença à naviguer sur les toitures. Le chat le suivait gentiment comme un chien.

C'était relativement facile si l'on pouvait éviter d'être

15   écœuré par certaines pentes qui dévalaient vers des cours intérieures, noires et attirantes comme des gueules de puits. Ces sortes de gouffres apparaissaient brusquement sans qu'il fût possible de se mettre en garde. Ils étaient dans des enton-noirs de toits en pente, dissimulés derrière des faîtages. On

20   ne les voyait qu'en arrivant à la crête. Encore, de là, étaient-ils sinon dissimulés, du moins hypocritement recouverts de vapeurs de soleil.

C'était très désagréable. A diverses reprises, Angélo, arrivé au faîte d'un pignon (d'un de ces triangles noirs qu'il avait

25   vus dans la nuit) et se trouvant brusquement en présence du gouffre sournois qui s'ouvrait derrière, avait chancelé, avait même dû s'appuyer de la main sur les tuiles et repartir obliquement à quatre pattes. Ces profondeurs aspiraient.[7]

Mais ces vertiges s'ajoutaient les uns aux autres et même

30   quand, de l'autre côté du faîtage il n'y avait au bas de la pente du toit qu'un autre toit qui remontait, Angélo se lais-

---

[6] *se les mit à cheval sur le cou* — hung them around his neck.
[7] *Ces profondeurs aspiraient.* — Those depths were ready to suck one in.

sait glisser dans ce creux de houle avec une inconscience de
somnambule.[8] Son esprit était cependant en éveil et il souf-
frait atrocement de ces abandons de force physique. La peur
le prenait au ventre et il vomissait chaque fois un peu de bile.

Comme il approchait d'une petite tour, Angélo fut brusque-   5
ment enveloppé dans une épaisse étoffe noire qui se mit à
voleter en craquant et en crissant. C'était un monceau de
corneilles qui venait de se soulever. Les oiseaux n'étaient pas
craintifs. Ils tournaient lourdement autour de lui sans s'éloigner, le frappant de l'aile. Il se sentait dévisagé par des mil-   10
liers de petits yeux d'or, sinon méchants, en tout cas extraor-
dinairement froids. Il se défendit en moulinant des bras,[9]
mais plusieurs becs le piquèrent durement sur les mains et
même sur la tête. Il ne réussit à se débarrasser des oiseaux
qu'en se débattant violemment, et en assomma même un ou   15
deux avec ses poings en gesticulant. Ils poussèrent en tombant
un gémissement qui fit dévirer tout le vol derrière le pignon
d'un toit où leurs griffes grêlèrent[10] sur les tuiles.

D'autres vols de corneilles et de corbeaux s'étaient de ce
temps levés des endroits où ils s'acagnardaient, et s'appro-   20
chaient en haillonnant.[11] Mais, voyant Angélo debout et
dégagé, ils glissèrent sur leurs ailes raidies et retombèrent sur
les toits.

Il y en avait d'immenses colonies dont le plumage gris de
poussière se confondait avec le gris sombre des tuiles et même   25
avec le rose de l'argile brûlée de soleil. On ne pouvait les
voir que quand elles s'envolaient, mais depuis qu'Angélo était
ici dessus, c'était la première fois qu'elles le faisaient. Jusque-là

---

[8] *Angélo se laissait glisser . . . somnambule.* — Angélo would let himself slide
into this hollow like that of an ocean wave as unconsciously as a sleepwalker.

[9] *en moulinant des bras* — whirling his arms around (like a windmill).

[10] *grêlèrent* — beat like hail.

[11] *en haillonnant* — Giono has apparently invented this verb from the noun
haillon, "rag" or "tatter." Griffin has translated "in ragged bands."

elles étaient restées comme des capuchons sur certaines maisons, dans les lucarnes, les fenêtres et les crevasses desquelles elles devaient suinter et manger à l'aise.

Angélo regarda vers la galerie d'où il était parti. Il était
5 très difficile de reconnaître les lieux. Le soleil qui tombait d'aplomb, la réverbération des toitures, l'étincellement uniforme du ciel de craie lui emplissaient les yeux de lunules rouges. Cette étendue de toitures n'était pas si plate que la lumière le faisait croire. Enfin, il reconnut cet endroit où il
10 avait dormi. C'était une sorte de belvédère. Il ne s'en était pas douté. De ce côté-là la retraite était toujours possible. Ses chaussons de toile à sac faisaient bien l'affaire. Ils l'empêchaient de glisser et il ne sentait pas trop la chaleur des tuiles. Il s'assit dans l'ombre d'une cheminée et souffla. Mais
15 il dut fermer les yeux: toute l'étendue s'était mise à tourner et à se balancer autour de lui comme autour d'un axe mal goupillé. Le chat se frotta contre son bras et, se haussant, poussa la tête contre sa joue. Il sentit les petites moustaches raides lui gratter le coin de la bouche.

20   — Je ne suis pas habitué aux gouttières, mon vieux lapin, lui dit-il.

La faim le faisait souffrir, mais surtout la soif. Elle ne lui laissait pas de répit. Il pensait interminablement à de l'eau fraîche. Il ne pensait à tout le reste que par surcroît et en
25 faisant d'énormes efforts.

Enfin, il arriva où il voulait et, derrière les linges étendus sur des fils de fer, il vit des cages de grillages qui contenaient des boules jaunes. C'étaient des poules.

Il comprit qu'il venait de trouver un œuf longtemps après
30 l'avoir cassé et léché dans sa main. Il avait la bouche pleine de coquille qu'il cracha. Les glaires avaient adouci sa gorge de carton. Il chercha avec moins de fièvre dans la paille du poulailler. Les poules endormies par midi ne pépiaient pas, et s'étaient couchées dans un coin. Il trouva encore deux œufs
35 et il les goba de façon plus honnête.

La porte qui faisait communiquer cette galerie avec le reste de la maison était fermée, mais par une simple clenche qu'il suffisait de lever pour l'ouvrir. Elle débouchait sur un petit palier auquel on accédait d'en bas par une échelle. En dessous, c'était le vide d'une cage d'escalier; silencieuse.

— Serais-je tombé de nouveau chez les morts? se dit Angélo. En tout cas, avec des œufs, il n'y a pas de risques. C'est alors qu'il remarqua du grain de maïs fraîchement répandu dans les cages à poules. «Il y a ici quelqu'un de vivant.» La maison était cependant tout à fait silencieuse.

Il se risqua sur l'échelle. Il était à peine en bas qu'un miaulement discret lui fit lever la tête: c'était le chat qui ne pouvait pas descendre et l'appelait. Il remonta le chercher.

Ses chaussons ne faisaient pas de bruit, mais le gênaient. Il les enleva, les cacha sous l'échelle et marcha sur ses bas.

«Il y a peut-être ici de ces gens qui vous écrasent la tête à coups de talons, se dit-il. Il s'agit d'être agile.» Il n'avait pas peur. Il ajouta même: «C'est la théorie du fourrageur en campagne. Combien de fois ne l'as-tu pas inculquée à des caboches de Coni?[12] Mais, du diable[13] si j'aurais cru qu'un jour je fourragerais avec un chat!»

Il descendait marche à marche en guettant le silence, quand il s'immobilisa. Une porte venait de s'ouvrir en bas au premier étage. Des pas traversèrent le palier puis commencèrent à monter. Le chat descendit à la rencontre.

Brusquement on s'exclama:

— Qu'est-ce qu'il y a? demanda d'en bas une voix d'homme.

— Un chat, dit une voix de garçon.

— Comment, un chat?

— Un chat.

— Comment est-il?

— Gris.

— Fais-le partir.

[12] *Coni* — a city in Piedmont.
[13] *du diable* — the devil take me.

— Ne le touche pas, dit une voix de femme. Descends.
Viens. Viens. Descends. Ne le touche pas. Viens.

Toutes ces voix étaient sourdes et peureuses. Les pas descendirent l'escalier, traversèrent le palier en hâte. On ferma
5 la porte.

Le chat remonta.

— Bravo! dit Angélo.

Il reprit haleine. Il remonta jusqu'au pied de l'échelle et
s'assit sur les premiers barreaux.

10   — Les peureux sont les adversaires les plus terribles que
je connaisse, se dit-il; même s'ils n'osent pas me toucher, et
ils n'oseront pas, ils sortiront en courant, ils ameuteront tout
le quartier. Il se voyait poursuivi sur les toits et ce n'était
pas une perspective agréable.

15   Il attendit un long moment. Il n'y avait plus de bruit.

Enfin il se dit: «On ne peut pas rester tout le temps comme
ça. Ils ont peur de leur ombre; moi, j'ai soif. Allons-y. Et si
ça fait des étincelles, eh! bien ça fera des étincelles. Je suis
assez grand garçon pour foutre la bagarre dans toute la ville,
20 s'il s'agit simplement de ne pas perdre la face devant ce sacré
policier qui m'embarrasse avec son jardin potager.»[14]

Toutefois, il se mit à descendre avec précaution. Arrivé au
deuxième étage, il fit même une halte prudente avant d'aller
écouter aux trois portes. Rien. Il regarda par un trou de
25 serrure. Rien: le noir. Un autre trou de serrure: de la clarté,
mais quoi? Un mur blanc? Oui: il venait de voir un clou
planté dans le mur. Qu'est-ce qu'il pouvait bien y avoir dans
cette chambre-là? Etait-ce la resserre? Il alla écouter par-dessus
la cage d'escalier. En bas au premier, silence complet. Bon. Il
30 tourna franchement la poignée de la serrure. La porte s'ouvrit.

C'était un débarras. Des vieilleries, comme dans l'autre

[14] *ce sacré policier . . . potager* — an allusion to an earlier incident in which
Angélo had been saved from the fury of the mob by a police officer who
led him to safety through his vegetable garden.

maison. La troisième chambre, des vieilleries également: cercles de barriques, manches à balais, couffes, un touchant portrait de vieille dame, par terre, et mâché par des clous de soulier. Des égoïstes.

Il faut retourner à la chambre obscure. Ce doit être là. Non. Vide.

Des égoïstes, et ils ont dû tout ratisser autour d'eux, et tout entasser dans la pièce où ils se tiennent. Il y avait des étagères nues et, à la lueur de sa mèche de briquet Angélo vit que la planche gardait la trace de pots qui avaient été là à un moment donné et n'y étaient plus.

Alors, il n'y a qu'à descendre.

Avant il prit une couffe en sparterie. S'il trouvait quelque chose, il le mettrait là dedans.

Au premier, deux grandes portes. Pas du tout comme là-bas: moins cossues. Ce n'était pas une maison à piano et à moustaches en cornes de taureau; cela sentait le paysan à son aise, mais pas d'histoire.[15] Tout était fermé. Ici, ils ne risquent pas de mourir dans l'embrasure des portes; ils mourront en tas, comme des chiens sur une soupe empoisonnée. S'ils meurent.

Du haut de la dernière marche, et un pied en l'air, Angélo regardait et écoutait. Les gens devaient se tenir derrière la porte la plus éloignée. On le voyait aux traces de doigts sur la porte et à l'usure du seuil. En raisonnant avec la peur du chat, les clous de souliers sur la vieille dame, on pouvait parier que c'était la cuisine. Ces gens-là ne doivent se sentir en sûreté que dans une cuisine.

Il faut voir. Angélo mit l'œil au trou de la serrure: du noir et une bande blanche qui fait chapiteau à ce noir. Une bande blanche qui est en étoffe, une bande blanche au-dessus de

---

[15] *Ce n'était pas . . . d'histoire.* — This was not the sort of house in which you found pianos and moustaches shaped like bull's horns; it suggested rather the peasant class, well to do but not showy.

laquelle il y a des pots. C'est le dessus de la cheminée. Le noir
est le fond de la cheminée.

Angélo eut un brusque mouvement de recul: un visage
venait de passer. Non. C'était simplement le visage de quelqu'un d'assis qui s'était penché en avant, et se tenait maintenant courbé, les bras appuyés sur les cuisses, les mains jointes.
Il les frottait. C'était un homme. Barbe. Il baissait la tête.

II

— Et le nuage? dit une voix de femme.

— Lequel? dit l'homme sans lever la tête, mais en arrêtant
de se frotter les mains.

— Qui avait la forme d'un cheval.

— Je ne sais pas, dit l'homme.

Il recommença à se frotter les mains.

— Il est venu sur la rue Chacundier et hier les tombereaux
y ont chargé toute l'après-midi.

L'homme se frottait les mains.

— Je l'ai vue, dit la voix de femme.

— Quoi? dit l'homme.

Il arrêta de se frotter les mains.

— . . . la comète.

— Quand? dit l'homme. Et il leva la tête.

— Cette nuit.

— Où?

— Là.

L'homme leva un peu plus la tête et regarda du côté d'où
venait le jour.

Quelque chose tomba d'une table.

— Fais attention! dit la femme. Elle avait poussé une sorte
de cri à voix basse.

Une odeur de poireaux, d'ail, d'infusion, venait par le trou
de la serrure.

«Descendons plus bas, se dit Angélo. S'il y a une resserre, ils l'ont sûrement placée le plus bas possible. Peut-être même dans la terre.»

Non, elle était bien en bas, mais sur la terre, dans une remise où étaient également entassés des fagots de bois et des 5 bûches refendues. Un peu de jour venait de la rue par-dessous la porte. Des bouteilles sur lesquelles Angélo se précipita. C'étaient des bouteilles de coulis de tomate. Il en prit trois. Encore des bouteilles. Liquide jaune. Une étiquette qu'il ne pouvait pas lire. Il mit une de ces bouteilles dans la 10 couffe. Je verrai là-haut. Du vin maintenant: bouchons cachetés à la cire rouge. Il prit un pot de graisse, deux pots, sans doute de confiture. Un jambon? Non, mais deux saucissons, une dizaine de fromages de chèvres, secs, durs, pas plus gros que des écus. Pas de pain. 15

Il se hâta de remonter à la galerie. Comme il mettait le pied à l'échelle, un petit miaulement étouffé l'appela. Il fourra dans la couffe les sacs qui lui avaient servi de chaussons et il prit le chat sous son bras.

Sur les toits, la chaleur était comme un mur dans lequel on 20 était tout de suite bâti à la chaux vive.[1] Il fallait partir d'ici le plus vite possible. Ils devaient bien quelquefois venir donner aux poules et chercher les œufs. Il s'agissait de trouver, par là-dessus, un endroit à habiter. Pas question de retourner à l'ancienne galerie. C'était manifestement un endroit con- 25 taminé. S'il faut prendre les braises avec les mains, d'accord, mais de là à jouer avec le feu . . .[2]

Le plus simple était d'aller s'abriter contre la rotonde de l'église. Là, pas de risques. Les arcs-boutants faisaient de l'ombre; ils semblaient recouvrir comme une tonnelle un petit 30 endroit plat.

[1] *bâti à la chaux vive* — mortared with quicklime. (A rather bold image, not to be taken literally.)
[2] *S'il faut . . . avec le feu . . .* — It's all right to pick up embers in your hands if you have to, but I draw the line at playing with fire.

C'était en effet une véritable tonnelle et un endroit plat
recouvert de zinc. Malgré sa soif évidente, Angélo attendit
d'être arrivé pour boire. Il se méfiait des chausse-trapes et
du vertige. Embarrassé dans ses bottes, ses chaussons de sac,
5   sa couffe de sparterie qui employait une de ses mains, il
était fort maladroit. Il était suant et glacé. Il dut décoiffer
une bouteille de vin cacheté en en frappant le goulot avec
le canon de son pistolet. Mais le vin était bon, avec une
forte saveur de raisin. Après avoir complété son repas de
10 deux fromages, d'une bonne poignée de graisse et fini la
bouteille de vin, Angélo commença à voir avec un peu plus
d'aplomb. Le soleil jouait son jeu terrible de plein après-midi.
Le chat faisait sa toilette et passait longuement sa patte par-
dessus ses oreilles. A l'endroit où les arcs-boutants s'appuyaient
15 contre le mur, il y avait des nids d'hirondelles contenant des
oiseaux noirs, familiers, qui faisaient sans cesse virevolter gentiment leurs têtes aux yeux jaunes. Près d'Angélo qui était assis
sur les sacs, un vitrail blanc fleurait l'encens par ses joints
de plomb.
20 Angélo voyait le côté de la ville qu'il n'avait pas pu voir
de son ancienne galerie. Elle s'en allait moins loin que de
l'autre côté. L'enchevêtrement des toitures finissait contre les
créneaux d'une porte et les massifs roussâtres de grands ormes.
Par contre, Angélo voyait fort bien, au-dessous de lui, la place
25 de l'église dans son plein et, en enfilade, deux rues qui y
débouchaient. La place était déserte à part quatre ou cinq tas
noirâtres qu'il prit d'abord pour de grands dogues endormis
car il les distinguait à travers les feuillages d'ailleurs clairsemés
de petits platanes. Un de ces dogues se déroula comme s'il
30 allait s'étirer et Angélo s'aperçut que c'était un homme dans
les convulsions de l'agonie. Bientôt d'ailleurs le moribond
s'allongea, la face contre terre et ne bougea plus. Angélo eut
beau guetter chez les autres le moindre signe de vie. A mesure
que ses yeux s'habituaient à la clarté diaprée de dessous les

petits arbres, il distingua d'autres cadavres. Les uns étaient
allongés sur le trottoir, d'autres accroupis dans des encoi-
gnures de portes; d'autres affalés contre le rebord de la fontaine
semblaient tremper leurs mains dans l'eau du bassin et appuyaient sur la margelle des faces noires qui mordaient la pierre.   5
Il y en avait bien une vingtaine. Sur tout le pourtour de la
place les maisons étaient verrouillées, des portes et contre-
vents du rez-de-chaussée à la toiture. On entendait distincte-
ment dans le silence le bourdon des mouches et le canon de
la fontaine qui jouait avec son bassin.   10

Un tambour funèbre se mit à rouler lentement mais violemment au fond d'une de ces rues qui débouchaient sur la
place. C'était le tombereau qui roulait sur les pavés. Un
homme vêtu d'une longue chemise blanche menait le cheval
par la bride. Deux autres hommes blancs marchaient à côté   15
des roues. Ils s'arrêtèrent devant une maison. Les hommes
blancs en ressortirent presque tout de suite en portant un
cadavre qu'ils firent passer par-dessus les ridelles. Ils rentreront
trois fois dans cette maison-là. La troisième fois ils sortirent le
cadavre d'une grosse femme qui leur donna beaucoup de mal;   20
enfin, elle passa par-dessus la ridelle en découvrant d'énormes
cuisses blanches.

Sur la place, les hommes ramassèrent les morts, puis, le
tombereau roula son tambour dans des ruelles pendant longtemps, avec des haltes et de nouveau des roulements et des   25
haltes. Brusquement, Angélo s'aperçut qu'on ne l'entendait
plus. Il ne restait que le grondement exaspéré des mouches
et le bruit de la fontaine.

Longtemps après de longs bercements de bruits de mouches,
il y eut en bas des piétinements. C'était un groupe de gens   30
qui arrivaient par une des rues qu'Angélo voyait d'enfilade.
Il y avait là une dizaine de femmes en groupes précédées d'un
de ces hommes revêtus de chemises blanches. Les femmes
portaient des seaux mais elles étaient si serrées les unes contre

les autres que la ferblanterie faisait en marchant comme le
froissement d'armure d'un chevalier. Angélo imagina que
c'étaient les femmes d'un quartier qu'on emmenait à l'eau de
quelque fontaine réputée bonne. En tout cas, elles négligèrent
5   la fontaine de la place, mais, comme elles allaient s'engager
dans la rue par laquelle le tombereau était venu, elles se
mirent à pousser des cris et à s'agglomérer avec tant d'acharnement qu'elles étaient comme une pelote de rats. Elles tendaient
leurs bras en l'air, l'index pointé en hurlant et Angélo entendit
10   qu'elles criaient: «Le nuage! Le nuage!» D'autres criaient:
«La comète! La comète!» ou «Le cheval! Le cheval!» Angélo
regarda dans la direction qu'elles indiquaient. Il n'y avait
rien que le ciel blanc et l'éparpillement indéfini de la mon-
strueuse craie du soleil. Enfin, elles se dispersèrent de tous les
15   côtés en continuant à crier et l'homme courut après elles en
appelant: «Rose! Rose! Rose!»

De nouveau, en bas, la fontaine et les mouches, puis le
grincement d'un volet. Dans la façade d'une maison de la
place un volet s'entrebâilla, une tête parut qui regarda le ciel
20   de tous les côtés. Puis la tête rentra avec le rapide recul d'une
tête de tortue et le volet se referma.

La fontaine. Les mouches. Le grelot d'un chien de chasse.
Il fit le tour de la place et resta longtemps à sautiller dans
les ruelles d'autour.

25   Angélo guettait si attentivement le moindre bruit qu'il
entendit un piétinement minuscule. C'était une petite fille.
Elle débouchait d'une des rues. Elle marchait lentement,
paisiblement en balançant les bras comme une grande personne désœuvrée. Elle ne troublait ni la fontaine ni les mouches.
30   Elle passa en se dandinant dans sa petite jupe à collerette.

Passèrent des chiens. Ils humaient vers les maisons, le nez
levé. Brusquement ils s'écrasaient comme sous la menace d'un
coup et ils galopaient en hurlant. L'un d'eux s'assit au coin
de la place et, après avoir étiré quatre ou cinq fois son cou
35   comme pour renifler le ciel, il se mit à hululer longuement.

La chaleur pétillait sur les tuiles. Le soleil n'avait plus de corps; il était frotté comme une craie aveuglante sur tout le ciel; les collines étaient tellement blanches qu'il n'y avait plus d'horizon.

Des coups retentirent à la fois sur la place et jusque dessous Angélo. Ils résonnaient même dans le vitrail à côté de lui. C'étaient des coups qu'on frappa longtemps dans la porte de l'église. Enfin, ils s'arrêtèrent et une voix cria trois fois: «Sainte Vierge! Sainte Vierge! Sainte Vierge!» Il était impossible de savoir si c'était la voix d'un homme ou la voix d'une femme.

Angélo décoiffa une autre bouteille de vin. Il se disait que la sagesse serait de manger plutôt ce coulis cru de tomates qui le rafraîchirait mieux, mais il avait idée que la sagesse ne servait plus à grand-chose. Il était inutile de se faire du mauvais sang pour la sagesse. Un peu de vague à l'âme est encore ce qu'il y a de meilleur dans les moments critiques, quoi qu'on dise. La raison et la logique, c'est bon pour les temps ordinaires. En temps ordinaire, il n'y a pas à discuter, ça fait merveille. Quand le cheval est emballé, c'est tout à fait autre chose.[3]

Angélo fit un petit coussin avec les sacs; il se coucha sur le zinc brûlant et il ferma les yeux.

Il avait les yeux fermés depuis un temps inappréciable quand il se sentit souffleté de petites gifles duveteuses, frappé autour des tempes de coups de poing fort douloureux et griffé dans sa chevelure qu'on semblait mettre au labour.[4]

Il était couvert d'hirondelles qui le becquetaient.

Il se dressa avec tant de violence qu'il faillit rouler au delà des arcs-boutants sur les toits qui étaient très en pente. Il se flagella et se ratissa les cheveux avec beaucoup de nervosité.

---

[3] *En temps ordinaire . . . autre chose.* In ordinary times there's no denying it, that does wonders; but when the horse starts to run away, that's another matter.

[4] *mettre au labour* — to be plowing up.

«Elles m'ont pris pour un mort, se disait-il. Ces petites bêtes si familières et qui me regardaient avec leurs beaux yeux jaunes essayaient de me manger.»

Il reprenait ses esprits mais il eut soudain très envie de
5 fumer. Il fouilla dans ses poches et il fut très décontenancé quand il s'aperçut qu'il n'avait plus un seul petit cigare. «Et je n'ai plus fumé depuis le moment où j'ai tiré ce ridicule coup de pistolet en l'air devant la barricade. Il faut vraiment que je sois dans un moment critique. Je suis sûr de penser à fumer
10 au moment d'une charge bien que l'occasion de vérifier un sang-froid de cet ordre ne se soit pas encore produit. Mais, n'ai-je pas fumé un cigare pendant que je tuais le baron avec toute la loyauté qu'on m'a reprochée?[5] Donc, si j'ai envie de fumer, c'est bon signe. Mon royaume pour un cigare!»

15 Il continua à se blaguer mais l'assaut si naturellement cruel des hirondelles continuait à agiter ses sentiments.

Il passa une fort mauvaise nuit. Il n'y avait que de légères bouffées d'un vent torride et puant. Il rêva qu'il était couché avec un de ses sergents qui lui soufflait à la figure l'haleine
20 d'une infecte digestion de poireaux. Il essayait de le repousser mais l'autre naturellement grandissait de telle façon qu'avec son souffle il faisait ployer d'énormes châtaigniers piémontais.

Il se réveilla.

Une épouvantable odeur de cuisine passait dans la nuit
25 sous le volètement de lueurs roses. Angélo fit le tour de la rotonde. On avait allumé trois bûchers dans les collines du nord et des flots de fumées grasses étaient rabattues sur la ville par les élancements du vent . . .

Angélo se frotta longuement les yeux avec ses poings. Il
30 revint s'asseoir à sa place. Il avait dû violemment se débattre

---

[5] *pendant que je tuais le baron . . . reprochée?* Allusion to the incident which had made Angélo leave Italy, namely the duel in which he had killed the Austrian spy, Baron Schwartz. Angélo was reproached by his foster-brother for taking the risk of a duel, when he could as easily have paid someone to assassinate the baron.

dans son sommeil; la couffe était renversée et il ne trouva
plus ses bottes. Il se fouilla encore à la recherche d'un cigare.
L'odeur de la fumée remplissait sa bouche de viscosités
écœurantes.

Il eut encore beaucoup de rêves quoique tenu à moitié   5
éveillé par une constante envie de vomir. Il vit, notamment,
une comète; elle soufflait du poison par des jets étincelants,
comme un soleil de feu d'artifice. Il entendait le roulement
de velours de la pluie mortelle qu'elle jetait; son ruissellement
à travers les toits, à travers les lucarnes, inondant les combles,   10
coulant dans des escaliers, se glissant sous des portes, envahis-
sant les appartements où des gens assis sur des chaises collantes
comme des bâtonnets de glu se mettaient à hurler puis à
pourrir.

Les premières lueurs du jour lui apportèrent un grand sou-   15
lagement. C'était encore une fois l'aube blanche et déjà lourde
mais malgré sa couleur sans espoir elle remettait les choses en
place, dans un ordre familier.

Bien longtemps avant que le soleil ne se lève, une petite
cloche se mit à sonner dans les collines. Il y avait de ce   20
côté-là, sur une éminence couronnée de pins un ermitage
semblable à un osselet. La lumière encore relativement lim-
pide permettait de voir un chemin qui y montait en serpentant
à travers une forêt d'amandiers gris.

Le petit vitrail commença à transmettre par le tremble-   25
ment de ses verres dans leurs cercles de plomb une sorte
d'agitation qui bougeait dans les profondeurs de l'église. Les
grandes portes sur lesquelles on avait vainement frappé la
veille s'ouvrirent. Angélo vit s'aligner sur la place des enfants
vêtus de blanc et qui portaient des bannières. Les portes des   30
maisons commencèrent à souffler quelques femmes noires
comme des fourmis. D'autres venaient par les rues qu'il voyait
en enfilade. Au bout d'un moment, en tout et pour tout, ils
devaient être une cinquantaine, y compris trois prêtres recou-

verts de carapaces dorées qui attendaient. La procession se
mit en marche en silence. La cloche sonna longtemps des
coups espacés. Enfin, les bannières blanches apparurent sous
les amandiers gris, puis les carapaces qui, malgré l'éloignement
5   restèrent dorées, puis les fourmis noires. Mais, pendant que
tous ces petits insectes gravissaient lentement le tertre, le soleil
se leva d'un bond. Il saisit le ciel et fit crouler en avalanche
des plâtres, des craies, des farines qu'il se mit à pétrir avec
ses longs rayons sans iris.[6] Tout disparut dans cet orage éblouis-
10 sant de blancheur. Il ne resta plus que la cloche qui continua
à sonner à grands hoquets; puis elle se tut.

Cette journée fut marquée par une recrudescence terrible
de la mortalité.

Vers la fin de la matinée, dans cette partie de la ville que
15 dominait Angélo, il y eut des rumeurs puis des cris déchirants
qui éclatèrent à divers endroits puis qui éclataient de tous les
côtés. Le volet d'une des maisons de la place s'ouvrit avec
fracas et parut le buste d'un homme et des bras qui gesticu-
laient. Cet homme ne poussait pas de cris; il semblait seulement
20 faire effort avec ses deux poings pour se les enfoncer alterna-
tivement dans la bouche comme s'il avait quelque arête de
poisson dans la gorge. En même temps, il virevoltait dans le
cadre de sa fenêtre ouverte comme un guignol sur sa scène.
Enfin, il dut s'effondrer à l'intérieur. Sa fenêtre resta ouverte.
25 Les innombrables hirondelles qui avaient repris leur carrousel
grésillant commencèrent à s'en rapprocher. Les cris étaient
d'abord des cris de femmes puis il y eut quelques cris d'hommes.
Ceux-là étaient extrêmement tragiques. On les aurait dit
soufflés à travers des cornes d'aurochs. Contrairement à ce
30 qu'on aurait pu penser ce n'étaient pas les agonisants qui
criaient ainsi de tous les côtés mais les vivants. Plusieurs de
ces êtres affolés traversèrent la place. Ils semblaient chercher

---

[6] *fit crouler en avalanche . . . sans iris* — sent forth a crumbling avalanche of
plaster, chalk and flour which it began to knead with its long colorless rays.

secours car certains couraient les uns vers les autres jusqu'à
s'embrasser, puis ils se repoussaient et recommençaient à courir.
Un tomba et mourut assez vite. On commença à entendre de
tous les côtés le charroi des tombereaux. Il n'eut pas de cesse;
et l'horloge sonna midi, puis une, deux, trois heures; il con-   5
tinuait sans arrêt, roulant son tambour sur les pavés de toutes
les rues. Une fumée roussâtre venant des collines du nord
salissait le ciel.

Il arriva sous les yeux mêmes d'Angélo un événement
étrange. Quelques-uns de ces tombereaux passèrent sur la   10
place. Débouchant d'une rue qui longeait l'église ils arrivaient,
à un moment donné, au détour où ils se trouvaient juste
dessous l'endroit où se tenait Angélo et tellement en vue qu'ils
découvraient tout leur chargement de cadavres. C'est, arrivé
à cet endroit-là, qu'un de ces tombereaux s'arrêta; l'homme   15
blanc[7] qui menait le cheval par la bride s'étant brusquement
affaissé. Cet homme se tordait par terre en s'entortillant dans
cette espèce de blouse blanche et ses deux compagnons le
regardaient sans approcher, quand un de ces deux compagnons
s'affaissa lui-même en poussant un seul cri, mais très perçant.   20
Le troisième s'apprêtait à fuir et déjà il troussait sa blouse,
quand il parut trébucher sur un obstacle qui lui fauchait les
jambes, et il s'allongea, la face contre terre, à côté des deux
autres. Le cheval se chassait les mouches avec la queue.

Cette entreprise délibérée de la mort, cette victoire fou-   25
droyante, la proximité du champ de bataille qui restait sous
ses yeux, impressionnèrent fortement Angélo. Il ne pouvait
pas détourner ses regards des trois hommes blancs. Il espérait
toujours qu'ils allaient se redresser, après un petit repos et
continuer leur tâche. Mais ils restèrent allongés bien sage-   30
ment et, à part l'un d'eux qui agita convulsivement ses jambes
comme s'il ruait, ils ne bougèrent plus.

[7] *l'homme blanc* — the man in white.

Le charroi des autres tombereaux continuait dans les rues et les ruelles d'alentour. Les cris de femmes, stridents, ou gémissants, le déchirant appel au secours des voix d'hommes éclataient toujours de côté et d'autre. Ils n'avaient en réponse 5 que le roulement des tombereaux sur les pavés.

Enfin, un de ceux-là qui sautaient dans les rues voisines arriva sur la place. Les hommes blancs s'approchèrent de leurs camarades allongés et les tournèrent du pied. Ils les chargèrent dans le tombereau et, prenant le cheval par la 10 bride, ils le firent marcher.

Un vol de mouches très épais grondait sur l'endroit où le chargement de cadavres était resté en plein soleil. Il en avait coulé des jus qu'elles ne voulaient pas laisser perdre.

Angélo se dit: «Il ne faut pas rester ici: c'est un foyer du 15 mal. Les exhalaisons montent. Cette place est un carrefour de rues. Et d'ailleurs n'était-elle pas déjà jonchée de morts? Il faut partir. Il y a sûrement dans la ville des quartiers moins touchés ou alors c'est une affaire de trois, quatre jours et il ne restera plus personne. Sauf moi ici dessus. Et encore, est-ce 20 que c'est probable?»

III

Il se mit à errer sur les toits. Il ne faisait plus du tout attention à ces gouffres que les cours intérieures ouvraient soudain devant lui. Il était occupé d'un autre vertige. Il s'en alla même fort calmement ramasser ses bottes sur la pente assez raide 25 d'un toit où il les avait fait rouler au cours de la nuit dans le débat de ses rêves.

Il eut vite fait le tour des toits sur lesquels il pouvait marcher. A l'ouest, la place l'empêchait d'aller plus loin. A l'est, une rue assez large lui barrait la route; au sud, une autre rue, 30 non seulement large mais bordée de toits très en pente; au nord, une rue étroite. Il se demanda s'il ne ferait pas mieux

de descendre carrément dans les rues par quelque escalier intérieur. «Et puis, après? se dit-il. En admettant même que les fous qui m'ont poursuivi aient désormais d'autres chats à fouetter,[1] ce qui n'est pas sûr, je vais être en plein dans la mélasse.» Il avait l'impression que, sous lui, la ville était toute   5
pourriture. «Il faudrait simplement pouvoir sortir de ce quartier-ci.»

Il déambulait sur les toits exactement comme sur terre ferme. On l'aurait beaucoup étonné si on lui avait dit qu'il avait tout à fait l'allure inconsciente et désabusée de la petite   10
fille à la jupe en collerette. Le clocher, la rotonde, les petits murs, l'ondulation des toits n'étaient autour de lui que comme les arbres, les bosquets, les haies et les monticules d'une terre nouvelle; l'ouverture sombre des cours intérieures étaient comme de simples flaques dont il fallait se détourner; les rues,   15
des ruisseaux au bord desquels il fallait s'arrêter.

Ce n'était pas un rêve cocasse, c'était un mystère très amer dont on ne pouvait pas sortir. Il n'y avait pas à jouer au plus fin avec ça; il n'y avait qu'à en prendre son parti, quitte à user de malice plus tard quand ce nouveau monde aurait   20
déclenché la mise en route d'instincts nouveaux.[2] Quand les limites s'effacent, entre le réel et l'irréel et qu'on peut passer librement de l'un dans l'autre, le premier sentiment qu'on éprouve, contrairement à ce qu'on croit, est le sentiment que la prison s'est rétrécie.   25

Il regardait un enchevêtrement de toitures et de murs assez semblables dans son agglomération à un échafaudage effondré quand il vit, encadré dans une lucarne, un visage humain largement taché de noir par une bouche grande ouverte. Avant

---

[1] *d'autres chats à fouetter* — other fish to fry *or* other irons in the fire.
[2] *Il n'y avait pas . . . d'instincts nouveaux.* — There was no use to vie in cunning with that; the only thing to do was to resign himself to it, leaving his wits for later use when new instincts would be released by this new world.

d'en avoir compris la réalité, il entendit un cri perçant. Il se jeta vivement derrière une grosse cheminée.

Il était à deux ou trois mètres de la lucarne et bien dissimulé. Il entendit plusieurs voix angoissées qui disaient: «Elle
5 a vu le mal, elle a vu le mal!» La même voix qui avait crié continuait à gémir: «Il est là, il vient, il est sur nous.» Il y eut des trépignements sur un plancher puis une voix d'homme un peu plus ferme demanda: «Où? Où est-il? Où l'as-tu vu?»

Par un joint, entre deux briques, Angélo voyait la lucarne.
10 Il en émergea un bras tendu et un index pointé qui désignait les hauteurs du ciel: là. Là-haut! Seigneur! Un homme avec une grande barbe. Puis les cris recommencèrent et Angélo entendit le bruit d'une galopade dans des escaliers.

Il attendit un long moment avant de sortir de derrière sa
15 cheminée. Il se défila derrière de hauts faîtages et il gagna l'abri de ses arcs-boutants.

Le soir tomba. Il était plus que jamais résolu à gagner un autre quartier de toitures.

La ruelle du nord était vraiment très étroite: trois mètres
20 de large tout au plus; et même à un certain endroit où les gênoises s'avançaient, le vide était encore plus étroit. Avec une planche, ou mieux avec une échelle qu'on glisserait là-dessus il serait facile de passer. Il se souvint de l'échelle qui faisait communiquer la galerie avec le dernier palier, dans
25 la maison où il avait pris les victuailles. Il profita des derniers restes du jour pour aller voir si on pouvait la sortir sans faire de bruit. Elle n'était pas scellée et, quand il essaya de la tirer à lui pour voir si elle n'était pas trop lourde, elle l'était si peu qu'il put l'amener sur le plancher de la galerie sans faire
30 aucun bruit. Restait à savoir si elle était assez longue. Elle le paraissait. Il l'emporta jusqu'à la rotonde.

Il dormit très bien, sans rêve, après avoir mangé du coulis de tomate et un peu de graisse. Il se réveilla au moment même où la nuit encore très noire se déchirait lentement à l'est. Il
35 était frais et dispos. Il rassembla son matériel.

L'opération qui consistait à faire glisser l'échelle par-dessus le vide se trouva être plus facile qu'il ne croyait en raison de l'étroitesse de l'endroit qu'il avait choisi et de la légèreté de l'échelle. Il comprit aussi que cette toute première pointe de l'aube était le moment idéal pour passer. La ruelle en 5 dessous était encore tellement noire qu'on n'en voyait pas le vide. La seule difficulté était de traverser avec la couffe de sparterie qui contenait encore deux bouteilles de coulis, le pot de graisse, deux pots de confiture, la bouteille de liquide jaune dont il n'avait pas pu lire l'étiquette, les saucissons et deux 10 bouteilles de vin. Pour les bottes, il les avait de nouveau mises à cheval sur son cou et cela allait bien, mais pour le reste, c'était plus délicat et il voulait absolument avoir ses deux mains libres. Finalement, il n'y avait aucun moyen et le temps passait. Il se dit: «Je vais laisser la couffe de ce côté-ci. Si je ne trouve 15 pas à manger de l'autre côté, ce qui me paraît bien extraordinaire, le pire est que je sois obligé de revenir de ce côté pour manger. Mais je ne crois pas. Ce qui importe le plus c'est que je ne me casse pas la figure.»[3]

Il se mit à quatre pattes et il traversa sans faiblir. Il tira 20 l'échelle à lui et il la cacha derrière le faîtage. Il s'allongea à côté d'elle et il attendit le lever du jour. Il s'aperçut avec étonnement qu'il goûtait fort la chaleur des tuiles qui lui réchauffait le dos. Il avait accompli tous les gestes que lui dictait sa résolution, mais glacé des pieds à la tête. 25

«Et le chat?» se dit-il. Il se rendit compte que depuis la veille au matin il ne l'avait plus vu. Il pensa aussi qu'il aurait bien pu, avant de traverser, mettre un saucisson dans sa poche. En vérité, ce n'était pas manger qui était l'essentiel. Le chat, par contre, lui manqua beaucoup[4] jusqu'à ce que le soleil 30 soit levé.

Dans le moment de calme qu'il passa, là, étendu sur les

---

[3] *que je ne me casse pas la figure* — that I shouldn't break my neck.
[4] *Le chat, par contre, lui manqua beaucoup* — On the other hand he missed the cat very much.

tuiles tièdes, il se rendit compte que depuis la veille le charroi des tombereaux n'avait pas cessé. Il avait été trop préoccupé par son idée pour les entendre. Maintenant, il les entendait de nouveau battre le tambour.

5   Son domaine de toitures s'avéra beaucoup plus vaste que le précédent. Les rues qui le limitaient étaient très éloignées les unes des autres. C'était un pâté de maisons si compact qu'on avait dû l'aérer de quelques cours et même de jardins intérieurs; quelques-uns de ces jardins avaient même des
10   arbres. Ces cours et ces jardins étaient clos de toutes parts: il pouvait donc en faire le tour. Ils appartenaient tous à des maisons bourgeoises. Angélo se mit aux aguets pour surprendre la vie de ces maisons par les grandes fenêtres qui donnaient sur les jardins mais, malgré des vitres fort claires à travers
15   lesquelles il pouvait voir fauteuils et tapis, rien ne bougea dans ces intérieurs. A un moment donné même il fut assez près de la fenêtre d'une cuisine pour voir nettement le dessus de la cheminée nettoyé de tous ses pots. Ces gens-là n'étaient pas morts; ils étaient partis.

20   «Voilà qui excuse toutes les révolutions, se dit-il, et même qu'on m'ait brutalisé l'autre soir. Tu es bien nigaud, ajouta-t-il, ces gens-là ne sont pas morts ici mais qui dit qu'ils ne sont pas morts ailleurs? Voilà toute la différence. Ceci est une réflexion de chef.»[5] Il en fut très fier. «Si je voulais,
25   j'irais me prélasser dans leurs fauteuils, mais à d'autres![6] ne crois pas que le mal soit un homme barbu mais je suis bien sûr que c'est un petit animal, bien plus petit qu'une mouche qui peut parfaitement habiter un reps ou la toile d'une tapisserie. Les toitures ne m'ont pas trop mal réussi jusqu'à
30   présent, restons-y. De toute façon, ceci me paraît maigre en victuailles.»

[5] *Ceci est une réflexion de chef.* — This is the kind of comment which a leader of men would make.
[6] *à d'autres!* — I'll leave that to others.

Les maisons de ce quartier n'avaient pas de galeries et
Angélo eut beau chercher de tous les côtés, il n'y avait pas
non plus sur ces toitures d'endroits plats où pouvoir dormir.
Même pas d'endroits où il puisse se mettre à l'ombre comme
sous les arcs-boutants de la rotonde. Le soleil était encore   5
plus blanc que d'habitude, la réverbération des tuiles polies
brûlait autant que les rayons directs.

Il eut toutefois la joie de voir arriver le chat. Il ne sut
jamais comment l'animal avait fait pour le rejoindre. Peut-
être avait-il sauté? En tout cas, à partir de ce moment-là, il   10
resta sur les talons d'Angélo comme un chien, profita de toutes
les haltes pour se frotter contre ses jambes. Il fit avec lui tout
le tour du domaine et, quand Angélo s'assit au pied d'une
petite murette, dans un peu d'ombre, le chat sauta sur ses
genoux et lui fit à sa façon une fête de grande affection.   15

Du côté de la place de l'église, le charroi des tombereaux
continuait. De temps en temps, des cris, des appels qui re-
tentissaient longuement en vain, des gémissements, montaient
de la profondeur des rues.

Dans la petite murette contre laquelle Angélo appuyait son   20
dos s'ouvrait une lucarne rectangulaire dans laquelle finalement le chat sauta. Comme il ne revenait pas, Angélo l'appela,
puis engagea sa tête et ses épaules dans la lucarne. Elle donnait
sur un grenier spacieux plein d'objets hétéroclites dont la vue
donnait à l'âme un profond sentiment de quiétude. Tout de   25
suite, Angélo essaya de passer mais l'ouverture était trop étroite.

Angélo était cramponné à la lucarne comme un prisonnier
à la lucarne de sa prison.

Une odeur de longs repos, de chairs paisiblement vieillies,
de cœurs tendres, de jeunesse imputrescible, de passions bleues 30
et de tisane de violette venait du beau grenier.

Les bûchers rabattaient sur la ville une fumée lourde à goût
de suint et de graisse comme de mauvaises chandelles, mais
qui donnait appétit. Angélo pensa à la couffe de sparterie qu'il

avait laissée de l'autre côté de la rue. Avec des *vivres* (comme on dit) et s'il pouvait glisser par l'étroite fenêtre, il y avait là dedans de quoi vivre indéfiniment.

5   Il erra jusqu'à midi sur les toitures sans pouvoir détacher sa pensée d'un besoin de douceur.

Mais la fumée des bûchers de cadavres l'enveloppait avec son goût de suif et en prononçant en lui-même le mot de *vivre* il pensait à la couffe de sparterie.

Il alla sur les toits d'une longue maison à allure de caserne.
10   Les bâtiments étaient établis en carrés autour d'un jardin fort bien tenu. De l'autre côté du jardin, Angélo voyait une partie de façade percée de grandes fenêtres régulières, grillées, vers lesquelles montaient des feuillages de laurier et de figuier. Les parterres de buis, en bas, étaient animés d'une sorte de
15   trafic de souris. En se glissant jusque sur le promontoire d'une mansarde, Angélo put voir que c'étaient des nonnes qui s'affairaient fort lentement autour de caisses, de ballots et de malles qu'elles cordaient en faisant bruire tout un damier de robes noires et de coiffes blanches. L'affaire était surveillée
20   par un personnage blanc comme marbre et plus petit que nature qui se tenait immobile sous un berceau de lauriers-roses. Un moment, Angélo eut peur d'être vu par ce commandant dont l'immobilité et le sang-froid impressionnaient. Mais il s'aperçut que c'était la statue d'un saint.

25   Il suffisait de remonter sur la hauteur des toits pour entendre le charroi des tombereaux qui ne cessait pas, des rumeurs étouffées pleines de gémissements et ce bruit semblable à celui d'une pluie fine que faisait la fumée des bûchers en frottant les tuiles.

30   Angélo retourna s'asseoir près de la lucarne du grenier. Pendant plusieurs heures il le respira de temps en temps comme on respire une fleur. Il passait sa tête par l'ouverture, il regardait les corsages, les robes, les petits souliers, les bottes, le sabre; il humait l'odeur d'âmes qu'il imaginait sublimes.

Il retournait s'asseoir près du petit mur. Il revoyait la fumée noire chevaucher dans le ciel de craie. Il entendait les tombereaux rouler sur les pavés, s'arrêter, repartir, s'arrêter, repartir, tourner inlassablement dans les rues. Il écoutait le grand silence constamment refermé autour de ce bruit de tombereau, autour des gémissements et des appels.

Enfin, il essaya de se glisser dans la lucarne. Il ne réussit qu'à coincer ses épaules et à s'écorcher le haut des bras. Mais il pensa tout à coup à l'attitude qu'on prend quand on se fend pour donner un coup de pointe dans les règles,[7] le bras droit tendu, la tête effacée contre l'épaule droite, le bras gauche allongé contre la cuisse, l'épaule gauche effacée.

«C'est un coup de pointe dans les règles qu'il faut ici, se dit-il. Si je réussis à me tenir de cette façon, je parie que je passe.»

Il essaya et il aurait réussi sans les pistolets qui lui gonflaient les poches. Il fourra ses pistolets dans ses bottes et il introduisit d'abord les bottes dans le grenier. La lucarne s'ouvrait, à l'intérieur, à environ un mètre cinquante du plancher. Il plongea son bras le plus loin possible mais il dut malgré tout laisser tomber ses bottes sans espoir de pouvoir les reprendre s'il ne passait pas.

«Les ponts sont coupés,[8] se dit-il, maintenant il faut suivre. Ou bien, sans bottes ni pistolets tu n'es plus qu'un pignouf.»

Malgré sa maigreur et la position parfaite qu'il prit, il resta coincé, heureusement aux hanches et, en se démenant comme un ver de terre et en s'aidant de sa main droite, il réussit à s'arracher et à rouler à l'intérieur où il fit un assez grand bruit en tombant sur le parquet de bois.

— Madone, dit-il en se relevant, faites que les gens d'ici soient morts!

[7] *quand on se fend pour donner un coup de pointe dans les règles* — when one lunges to give a thrust according to the rules of fencing.
[8] *Les ponts sont coupés* — I've burned my bridges behind me.

Il resta un long moment dans l'expectative mais rien ne
bougea.

IV

Le grenier était encore plus beau que ce qu'il paraissait
être. Les fonds qu'on ne pouvait pas voir de la lucarne,
5   éclairés par quelques tuiles de verre disséminées dans la toiture,
et sur lesquelles à cette heure frappait le soleil couchant étaient
baignés d'un sirop de lumière presque opaque. Les objets n'en
émergeaient que par des lambeaux de forme qui n'avaient
plus aucun rapport avec leur signification réelle. Telle com-
10 mode galbée n'était plus qu'un ventre recouvert d'un gilet de
soie prune; un petit saxe sans tête qui devait être à l'origine
un ange musicien était devenu par l'agrandissement des ombres
portées, par le vif éclat que la lumière donnait aux brisures
de sa décollation,[1] une sorte d'oiseau des îles:[2] le kakatoès
15 d'une créole ou d'un pirate. Les robes et les redingotes étaient
vraiment réunies en assemblées.[3] Les souliers apparaissaient
sous des franges de clartés comme dépassant du bas d'un rideau,
et les personnages d'ombres dont ils trahissaient ainsi la
présence, ne se tenaient pas sur un plancher mais comme sur
20 les perchoirs en escalier d'une vaste cage de canaris. Les rayons
du soleil dardés en étincelantes constellations rectilignes de
poussière faisaient vivre ces êtres étranges dans des mondes
triangulaires, et la descente sensible du couchant qui déplaçait
lentement les ronds de lumière les animait de mouvements in-
25 définiment étirés comme dans l'eau tiède d'un aquarium. Le
chat vint saluer Angélo, s'étira aussi, ouvrit une large bouche
et émit un miaulement imperceptible.

---

[1] *aux brisures de sa décollation* — to the spot where his head was broken off.
[2] *oiseau des îles* — bird of the tropical islands *or* bird of the southern seas.
[3] *Les robes . . . en assemblées.* — The dresses and frock coats truly seemed
to have gathered together for a party.

«Fameux bivouac, se dit Angélo. Il n'y a que la subsistance qui n'est pas très bien assurée; mais, quand il fera nuit j'irai explorer les profondeurs. En tout cas, ici je suis comme un coq en pâte.»[4]

Et il se coucha sur un vieux divan.

Il se réveilla. Il faisait nuit.

«En route, se dit-il. Maintenant il faut vraiment quelque chose à se mettre sous la dent.»

Les profondeurs, vues du petit palier devant la porte du grenier, étaient terriblement obscures. Angélo enflamma sa mèche d'amadou. Il souffla sur la braise, vit le haut de la rampe dans la lueur rose et il commença à descendre lentement en habituant peu à peu ses pieds au rythme des marches.

Il arriva sur un autre palier. Cela semblait être celui d'un troisième étage, à en juger par l'écho de la cage d'escalier où le moindre glissement avait son ombre.[5] Il souffla sur sa braise. Comme il le supposait l'espace autour de lui était très vaste. Ici, trois portes, mais fermées toutes les trois. Trop tard pour forcer les serrures. Il verrait demain. Il fallait descendre plus bas. Ses pieds reconnurent des marches de marbre.

Deuxième étage: trois portes également fermées; mais c'étaient incontestablement des portes de chambres: les panneaux étaient historiés de rondes bosses et de motifs de sculpture à carquois et à rubans. Ces gens étaient sûrement partis. Les carquois et les rubans n'étaient pas les attributs de gens qui laissent leurs cadavres s'empiler dans des tombereaux. Il y avait même de grandes chances pour qu'ils aient ratissé ou plutôt fait ratisser la cuisine jusque dans les plus petits recoins des placards. Il fallait voir plus bas. Peut-être même jusque dans la cave.

---

[4] *comme un coq en pâte* — like pigs in clover.
[5] *ombre* — echo.

A partir d'ici il y avait un tapis dans l'escalier. Quelque chose passa entre les jambes d'Angélo. Ce devait être le chat. Il y avait vingt-trois marches entre le grenier et le troisième; vingt-trois entre le troisième et le second. Angélo était sur la vingt et unième marche, entre le second et le premier quand, en face de lui, une brusque raie d'or encadra une porte qui s'ouvrit. C'était une très jeune femme. Elle tenait un chandelier à trois branches à la hauteur d'un petit visage en fer de lance[6] encadré de lourds cheveux bruns.

— Je suis un gentilhomme, dit bêtement Angélo.

Il y eut un tout petit instant de silence et elle dit:

— Je crois que c'est exactement ce qu'il fallait dire.

Elle tremblait si peu que les trois flammes de son chandelier étaient raides comme des pointes de fourche.

— C'est vrai, dit Angélo.

— Le plus curieux est qu'en effet cela semble vrai, dit-elle.

— Les brigands n'ont pas de chat, dit Angélo qui avait vu le chat glisser devant lui.

— Mais qui a des chats? dit-elle.

— Celui-ci n'est pas à moi, dit Angélo, mais il me suit parce qu'il a reconnu un homme paisible.

— Et que fait un homme paisible à cette heure et là où vous êtes?

— Je suis arrivé dans cette ville il y a trois ou quatre jours, dit Angélo, j'ai failli être écharpé comme empoisonneur de fontaine. Des gens qui avaient de la suite dans les idées[7] m'ont poursuivi dans les rues. En me dissimulant dans une encoignure une porte s'est ouverte et je me suis caché dans la maison. Mais il y avait des cadavres, ou plus exactement un cadavre. Alors j'ai gagné les toits. C'est là-haut dessus que j'ai vécu depuis.

---

[6] *en fer de lance* — like the head of a spear.
[7] *qui avaient de la suite dans les idées* — with a single-track mind.

Elle l'avait écouté sans bouger d'une ligne.[8] Cette fois le silence fut un tout petit peu plus long. Puis elle dit:

— Vous devez avoir faim alors?

— C'est pourquoi j'étais descendu chercher, dit Angélo, je croyais la maison déserte.

— Félicitez-vous qu'elle ne le soit pas, dit la jeune femme avec un sourire. Les brisées de mes tantes sont des déserts.[9]

Elle s'effaça, tout en continuant à éclairer le palier.

— Entrez, dit-elle.

— J'ai scrupule à m'imposer, dit Angélo, je vais troubler votre réunion.

— Vous ne vous imposez pas, dit-elle, je vous invite. Et vous ne troublez aucune réunion: je suis seule. Ces dames sont parties depuis cinq jours. J'ai eu moi-même beaucoup de mal à me nourrir après leur départ. Je suis néanmoins plus riche que vous.

— Vous n'avez pas peur? dit Angélo en s'approchant.

— Pas le moins du monde.

— Sinon de moi, et je vous rends mille grâces, dit Angélo, mais de la contagion?

— Ne me rendez aucune grâce, monsieur, dit-elle. Entrez. Nos bagatelles de la porte[10] sont ridicules.

Angélo pénétra dans un beau salon. Il vit tout de suite son propre reflet dans une grande glace. Il avait une barbe de huit jours et de longues rayures de sueur noirâtre sur tout le visage. Sa chemise en lambeaux sur ses bras nus et sa poitrine couverte de poils noirs, ses culottes poussiéreuses et où restaient les traces de plâtre de son passage à travers la lucarne, ses bas déchirés d'où dépassaient des arpions assez sauvages composaient un personnage fort regrettable. Il n'avait plus

[8] *sans bouger d'une ligne* — without moving a muscle.
[9] *Les brisées de mes tantes sont des déserts.* — My aunts leave only a desert behind them.
[10] *Nos bagatelles de la porte* — Our silly formalities at the door.

pour lui que ses yeux qui donnaient toujours cependant des
feux aimables.[11]

— Je suis navré, dit-il.

— De quoi êtes-vous navré? dit la jeune femme qui était
5 en train d'allumer la mèche d'un petit réchaud à esprit-de-vin.

— Je reconnais, dit Angélo, que vous avez toutes les raisons
du monde de vous méfier de moi.

— Où voyez-vous que je me méfie, je vous fais du thé.

Elle se déplaçait sans bruit sur les tapis.

10 — Je suppose que vous n'avez plus eu d'aliments chauds
depuis longtemps?

— Je ne sais plus depuis quand!

— Je n'ai malheureusement pas de café. Je ne saurais d'ailleurs trouver de cafetière. Hors de chez soi on ne sait où
15 mettre la main. Je suis arrivée ici il y a huit jours. Mes tantes
ont fait le vide derrière elles; le contraire m'aurait surprise.
Ceci est du thé que j'avais heureusement pris la précaution
d'emporter.

— Je m'excuse, dit Angélo d'une voix étranglée.

20 — Les temps ne sont plus aux excuses,[12] dit-elle. Que faites-
vous debout? Si vous voulez vraiment me rassurer, comportez-
vous de façon rassurante. Assoyez-vous.

Docilement, Angélo posa la pointe de ses fesses au bord d'un
fauteuil mirobolant.

25 — Du fromage qui sent le bouc (c'est d'ailleurs pourquoi
elles l'ont laissé), un fond de pot de miel et, naturellement du
pain. Est-ce que ça vous va?   .

— Je ne me souviens plus du goût du pain.

— Celui-ci est dur. Il faut de bonnes dents. Quel âge avez-
30 vous?

[11] *qui donnaient toujours cependant des feux aimables* — which still had a
friendly sparkle in them.
[12] *Les temps ne sont plus aux excuses* — Excuses are out of place in times like
these.

— Vingt-cinq ans, dit Angélo.

— Tant que ça? dit-elle.

Elle avait débarrassé un coin de guéridon et installé un gros bol à soupe sur une assiette.

— Vous êtes trop bonne, dit Angélo. Je vous remercie de tout mon cœur de ce que vous voudrez bien me donner car je meurs de faim. Mais je vais l'emporter, je ne saurais me mettre à manger devant vous.

— Pourquoi? dit-elle. Suis-je écœurante? Et dans quoi emporteriez-vous votre thé? Il n'est pas question de vous prêter bol ou casserole; n'y comptez pas. Sucrez-vous abondamment et émiettez votre pain comme pour tremper la soupe. J'ai fait le thé très fort et il est bouillant. Rien ne peut vous être plus salutaire. Si je vous gêne, je peux sortir.

— C'est ma saleté qui me gêne, dit Angélo. Il avait parlé brusquement mais il ajouta: «Je suis timide.» Et il sourit.

Elle avait les yeux verts et elle pouvait les ouvrir si grands qu'ils tenaient tout son visage.

— Je n'ose pas vous donner de quoi vous laver, dit-elle doucement. Toutes les eaux de cette ville sont malsaines. Il est actuellement beaucoup plus sage d'être sale mais sain. Mangez paisiblement. La seule chose que je pourrai vous conseiller, ajouta-t-elle avec également un sourire, c'est de mettre si possible des souliers, dorénavant.

— Oh! dit Angélo, j'ai des bottes là-haut, même fort belles. Mais j'ai dû les tirer pour pouvoir marcher sur les tuiles qui sont glissantes et aussi pour descendre dans les maisons sans faire de bruit.

Il se disait: «Je suis bête comme chou»,[13] mais une sorte d'esprit critique ajoutait: «Au moins l'es-tu d'une façon naturelle?»

Le thé était excellent. A la troisième cuillerée de pain trempé,

---

[13] *Je suis bête comme chou* — I'm a stupid ass.

il ne pensa plus qu'à manger avec voracité et à boire ce liquide bouillant. Pour la première fois depuis longtemps il se désaltérait. Il ne pensait vraiment plus à la jeune femme. Elle marchait sur les tapis. En réalité, elle était en train de préparer une deuxième casserole de thé. Comme il finissait, elle lui remplit de nouveau son bol à ras bord.

Il aurait voulu parler mais sa déglutition s'était mise à fonctionner d'une façon folle. Il ne pouvait plus s'arrêter d'avaler sa salive. Il avait l'impression de faire un bruit terrible. La jeune femme le regardait avec des yeux immenses mais elle n'avait pas l'air d'être étonnée.

— Ici, je ne vous céderai plus, dit-il d'un ton ferme quand il eut fini son deuxième bol de thé.

«J'ai réussi à parler ferme mais gentiment», se dit-il.

— Vous ne m'avez pas cédé, dit-elle. Vous avez cédé à une fringale encore plus grande que ce que je croyais et surtout à la soif. Ce thé est vraiment une bénédiction.

— Je vous en ai privée?

— Personne ne me prive, dit-elle, soyez rassuré.

— J'accepterai un de vos fromages et un morceau de pain que j'emporterai, si vous voulez bien et je vous demanderai la permission de me retirer.

— Où? dit-elle.

— J'étais tout à l'heure dans votre grenier, dit Angélo, il va sans dire que je vais en sortir tout de suite.

— Pourquoi, il va sans dire?

— Je ne sais pas, il me semble.

— Si vous ne savez pas, vous feriez aussi bien d'y rester cette nuit. Vous aviserez demain, au jour.

Angélo s'inclina.

— Puis-je vous faire une proposition? dit-il.

— Je vous en prie.

— J'ai deux pistolets dont un vide. Voulez-vous accepter

celui qui est chargé? Ces temps exceptionnels ont libéré beaucoup de passions exceptionnelles.

— Je suis assez bien pourvue, dit-elle, voyez vous-même.

Elle souleva un châle qui était resté de tout ce temps à côté
du réchaud à esprit-de-vin. Il recouvrait deux forts pistolets   5
d'arçon.

— Vous êtes mieux fournie que moi, dit froidement Angélo,
mais ce sont des armes lourdes.

— J'en ai l'habitude, dit-elle.

— J'aurais voulu vous remercier.   10

— Vous l'avez fait.

— Bonsoir, madame. Demain à la première heure j'aurai
quitté le grenier.

— C'est donc à moi à vous remercier, dit-elle.

Il était à la porte. Elle l'arrêta.   15

— Une bougie vous rendrait-elle service?

— Le plus grand, madame, mais je n'ai que de l'amadou
à mon briquet, je ne peux pas faire de flamme.

— Voulez-vous quelques bâtonnets soufrés?

En rentrant dans le grenier, Angélo fut tout étonné de   20
retrouver le chat sur ses talons. Il avait oublié cette bête qui
lui avait donné tant de plaisir par sa compagnie.

«Il va me falloir passer de nouveau par cette lucarne si
étroite, se dit-il; mais, décemment, un galant homme ne peut
pas rester seul avec une aussi jeune femme et jolie; même le   25
choléra n'excuse rien dans ces cas-là. Elle se dominait d'une
façon parfaite mais il est incontestable que, pour si peu que
ce soit,[14] ma présence dans le grenier la gênerait. Eh! bien, je
passerai de nouveau par la lucarne si étroite.»

Le thé lui avait donné des forces et surtout un grand bien-   30
être. Il admirait tout de ce que la jeune femme avait fait en

---

[14] *pour si peu que ce soit* — if only a trifle.

bas. «Si j'avais été à sa place, se disait-il, aurais-je réussi[15] aussi bien qu'elle cet air méprisant et froid en face du danger? Aurais-je su jouer aussi bien qu'elle une partie où j'avais tout à perdre? Il faut convenir que je suis d'aspect effrayant et 5 même, ce qui est plus grave, repoussant.» Il oubliait les feux de ses yeux.

«Elle n'a pas cédé ses atouts une minute et cependant elle a à peine vingt ans; disons vingt et un ou vingt-deux au grand maximum. Moi qui trouve toujours que les femmes sont 10 vieilles, je reconnais que celle-là est jeune.»

La réponse qu'elle avait faite au sujet des pistolets d'arçon l'intriguait aussi beaucoup. Angélo avait de l'esprit surtout quand il s'agissait d'armes. Mais, même dans ces cas-là il n'avait que l'esprit de l'escalier.[16] L'homme solitaire prend 15 une fois pour toutes l'habitude de s'occuper de ses propres rêves; il ne peut plus réagir tout de suite à l'assaut des propositions extérieures. Il est comme un moine à son bréviaire dans une partie de balle au camp, ou comme un patineur qui glisse trop délibérément et qui ne peut répondre aux appels qu'en 20 décrivant une longue courbe.

«J'ai été anguleux et tout d'une pièce, se dit Angélo. J'aurais dû me montrer fraternel. C'était une façon magnifique de jouer mes propres cartes. Les pistolets d'arçon étaient une bonne ouverture. Il fallait lui dire qu'une petite arme bien 25 maniée est plus dangereuse, inspire plus de respect qu'une grosse et lourde, très embarrassante surtout quand il y a autant de disparate qu'entre sa main et l'épaisse crosse, les gros canons, les lourdes ferrures de ces pistolets. Il est vrai qu'elle court bien d'autres dangers et on ne peut pas tirer 30 de coups de pistolet sur les petites mouches qui transportent le choléra.»

---

[15] *aurais-je réussi* — would I have been able to assume.
[16] *il n'avait que l'esprit de l'escalier* — he could think of witty things to say only afterwards. (The idiom comes from the idea of thinking of witty remarks after one has left a party and is descending the staircase.)

Il fut alors envahi d'une pensée si effrayante qu'il se redressa du divan où il s'était couché.

«Et si je lui avais porté moi-même la contagion!» Ce *moi-même* le glaça de terreur. Il répondait toujours aux générosités les plus minuscules par des débauches de générosité. L'idée d'avoir sans doute porté la mort à cette jeune femme si courageuse et si belle, et qui lui avait fait du thé, lui était insupportable. «J'ai fréquenté; non seulement j'ai fréquenté, mais j'ai touché, j'ai soigné des cholériques. Je suis certainement couvert de miasmes qui ne m'attaquent pas, ou peut-être ne m'attaquent pas encore, mais peuvent attaquer et faire mourir cette femme. Elle se tenait fort sagement à l'abri, enfermée dans sa maison et j'ai forcé sa porte, elle m'a reçu noblement et elle mourra peut-être de cette noblesse, de ce dévouement dont j'ai eu tout le bénéfice.»

Il était atterré.

«J'ai fouillé de fond en comble la maison où le choléra sec avait étendu entre deux portes cette femme aux beaux cheveux d'or. Celle-ci est plus brune que la nuit mais le choléra sec est terriblement foudroyant et l'on n'a même pas le temps d'appeler. Et, est-ce que je suis fou ou bien, que peut faire la couleur d'une chevelure dans un cas de choléra sec?»

Il écouta avec une farouche attention. Toute la maison était silencieuse.

«En tout cas, se dit-il pour se rassurer, ce fameux choléra sec m'a laissé bien tranquille jusqu'à présent. Pour le donner il faut l'avoir. Non, pour le donner, il suffit de le porter et tu as tout fait pour en porter plus qu'il n'en faut. Mais, tu n'as rien touché dans la maison. A peine si tu as fait ton devoir comme le pauvre petit Français[17] qui l'aurait fait beaucoup

---

[17] *le pauvre petit Français* — Allusion to a heroic young doctor who had lost his life by caring for plague victims and whose memory remains constantly in Angélo's mind.

mieux et aurait poussé le scrupule jusqu'à regarder dessous les lits. Allons, qu'est-ce que tu t'imagines, les miasmes ne sont pas hérissés de tentacules crochus comme les graines de bardanes et, ce n'est pas parce que tu as enjambé ce cadavre
5 qu'ils se sont forcément collés contre toi.»

Il était à moitié endormi. Il se revoyait enjambant le cadavre de la femme et son demi-sommeil était également rempli de comètes et de nuages à formes de cheval. Il s'agitait tellement sur son divan qu'il dérangea le chat couché près
10 de lui.

Pour le coup, il fut glacé de terreur. «Le chat est resté longtemps dans la maison où, non seulement la femme blonde est morte mais où certainement au moins deux autres personnes sont mortes. Lui peut transporter le choléra dans sa
15 fourrure.»

Il ne se souvenait plus si le chat était entré au salon en bas ou s'il était resté sur le palier. Il se tortura avec cette idée pendant une bonne partie de la nuit.

QUESTIONS LITTERAIRES

Un de Baumugnes

I

1. Avez-vous déjà remarqué un exemple de réalisme poétique dans cette histoire? Lequel?
2. Pourquoi Clarius insulte-t-il le vieux quand il est de retour à la Douloire et quelle est la réaction du vieux?
3. Est-ce que le caractère de Clarius a toujours été si amer?
4. Le personnage de Saturnin vous est-il sympathique? Pourquoi?
5. Quelle impression de l'état d'âme de la famille recevez-vous dans la description du repas silencieux?
6. Pourquoi le vieux trouve-t-il leur point de vue stupide?
7. Comment l'auteur réussit-il à tenir le lecteur en suspense pendant ces six jours?
8. Comment le vieux devient-il injuste à l'égard d'Angèle?
9. Décrivez les deux «monicas» d'Albin. Trouvez-vous son style trop poétique pour un paysan?
10. Vers la fin de ce chapitre montrez comment Giono rend la nature une chose vivante. Ce procédé est-il caractéristique de l'auteur?

II

1. Pourquoi le vieux n'avait-il pas soupçonné qu'Angèle était dans la glacière?
2. Qu'est-ce qu'Albin appelait «parler à Angèle»?
3. Enumérez plusieurs des visions suggérées par la musique d'Albin.

4. Quel contraste le vieux fait-il entre la vie de la ville et celle de la nature? En ceci est-ce qu'il représente le sentiment de l'auteur?

5. On a dit que les odeurs ont une grande importance dans l'œuvre de Giono. En trouvez-vous un exemple ici?

6. Quel effet avait la musique sur Philomène? Sur Clarius? Sur Saturnin?

7. Quel résultat avait la musique, la seconde nuit?

8. Qu'est-ce qui s'est passé la troisième nuit?

9. Quelle décision Albin et la vieux ont-ils faite?

III

1. Quand est-ce qu'Albin a découvert la prison d'Angèle?

2. Comment se sont-ils parlés?

3. Comment avait-elle reconnu que c'était lui?

4. Pourquoi refuse-t-elle d'abord de partir avec lui?

5. Puisqu'Albin savait déjà tout ce qu'elle a fait, pourquoi n'a-t-il pas interrompu sa confession?

6. Que pensez-vous du pardon d'Albin?

7. Comment Angèle pourra-t-elle ouvrir la porte de la glacière?

8. Quelles comparaisons poétiques trouvez-vous dans la description de la nuit de l'évasion?

9. Comment monsieur Pancrace voyagera-t-il?

10. Décrivez la lutte entre Clarius et le vieux.

11. Quels sentiments éprouvez-vous à l'égard de Clarius? Est-il possible de comprendre son point de vue?

IV

1. Pourquoi est-il plus fatigant de marcher de nuit que de jour?

2. Selon le vieux, quelle idée Clarius aura-t-il? Pourquoi?

3. Dans quel sens est-il vrai que Clarius s'était fait lui-même son malheur?

4. Quelle impression a le vieux quand il voit Angèle à l'aube?

5. Trouvez-vous que le vieux soit le porte-paroles pour Giono lui-même dans ses réflexions sur la vie simple et la société civilisée? Discutez votre opinion.

6. Pourquoi le vieux demande-t-il à Albin de faire demi-tour?

7. Quels sont les motifs qui décident Albin à retourner?

8. Comment l'auteur réussit-il à nous tenir en suspense?

V

1. Qu'est-ce qui a empêché Clarius de tirer?
2. Quelle contradiction y avait-il dans le caractère d'Albin?
3. Pourquoi Albin appelle-t-il le vieux «grand-père du bonheur»? Savez-vous si un personnage semblable se retrouve dans d'autres romans de Giono?
4. Appréciez la conclusion de cette histoire.
5. Trouvez-vous le caractère d'Albin et sa générosité envers Angèle vraisemblables?
6. Cette histoire est-elle réaliste? Idéaliste? Tous les deux?
7. Donnez quelques exemples que vous avez remarqués de l'originalité poétique du style de Giono.

La Femme du boulanger

1. Précisez le contraste entre l'apparence physique du boulanger et de sa femme.
2. Y trouvez-vous une explication pour l'action d'Aurélie?
3. Y a-t-il un parallèle entre ces descriptions physiques et le caractère des personnages?
4. Décrivez l'apparence du berger.
5. Quelle était la première réaction des habitants envers la fuite d'Aurélie avec le berger?
6. Pourquoi le manque du pain était-il une catastrophe pour le village?
7. Quelle influence avait ceci sur l'attitude des paysans à l'égard du boulanger?
8. Décrivez le caractère de Maillefer et expliquez l'importance que Giono lui donne dans le récit.
9. Trouvez-vous que le récit de Maillefer soit trop long ou croyez-vous que l'auteur ait réussi par ce moyen de tenir le lecteur en suspense?

10. Malgré le caractère simple et terre à terre des paysans, relevez plusieurs exemples de délicatesse dans leurs propos. (Maillefer, Mme Massot, Catherine, Alphonsine et Mariette, César)
11. Cette histoire vous paraît-elle morale, immorale ou amorale? Justifiez votre opinion.
12. Avez-vous remarqué des passages poétiques à l'égard de la nature? Lesquels?
13. Y a-t-il un mélange d'éléments tragiques et comiques dans cette histoire? Lesquels prédominent?
14. Commentez le style du dernier paragraphe.

Le Grand Troupeau

I

1. Y a-t-il une signification double dans le titre de ce roman?
2. Que veut dire Giono par *elle* dans le titre de ce chapitre?
3. Qu'est-ce qui s'était passé la nuit d'avant?
4. Quelle est la première indication que nous avons de la descente des moutons?
5. Quelle en est la deuxième indication?
6. La troisième?
7. La quatrième?
8. Commentez la technique de l'auteur en nous préparant ainsi pour le spectacle émouvant.
9. Décrivez l'apparence du premier berger.
10. Décrivez l'apparence des premiers moutons.
11. Expliquez l'exclamation de Burle en voyant la détresse du bélier.
12. Quelle préoccupation empêche Rose de manger?
13. Comment Burle montre-t-il sa compassion humaine?
14. Comment l'auteur fait-il sentir l'immensité du cortège?

II

1. Relevez le pathétique dans l'épisode de l'agnelet.
2. Pourquoi le vieux Souteyron demande-t-il quelque chose de fort?

QUESTIONS LITTERAIRES 193

3. Quelle explication le vieux berger donne-t-il pour la descente des moutons?
4. Comment le berger montre-t-il sa sensibilité à l'égard de ses bêtes?
5. Pourquoi Julius est-il venu rejoindre Thomas?
6. Quelle faveur Thomas demande-t-il au papé?
7. Quels sont les remèdes qu'il recommande pour son bélier?
8. Quel adieu le berger fait-il à son bélier?
9. Commentez la conclusion de ce chapitre.
10. Quelle impression avez-vous des paysans dans cette épisode?

Naissance de l'Odyssée

I

1. Connaissez-vous d'autres adaptations modernes de la mythologie grecque?
2. Au début, quel contraste remarquez-vous entre les situations d'Antinoüs et d'Ulysse?
3. L'inquiétude d'Antinoüs et de Pénélope envers le mendiant était-elle causée par leur remords ou par autre chose?
4. Quel est le caractère du marchand Lagobolon?
5. Quel incident de l'épopée grecque a été reproduit ici par Giono?

II

1. Quel était l'effet du vin sur l'esprit d'Ulysse?
2. Quelle était l'attitude d'Antinoüs envers les sports?
3. Comment Giono réussit-il à créer une atmosphère de catastrophe imminente?
4. Quelle est l'importance directe et indirecte du marchand dans la catastrophe?

III

1. Quelle différence voyez-vous dans les attitudes de Pénélope et de Kalidassa?

2. Précisez l'importance de la croyance aux dieux dans l'esprit d'Antinoüs.

3. Quel est le rôle de la Nature dans le triomphe d'Ulysse? Qu'en déduisez-vous sur la philosophie de l'auteur?

4. La fin de l'histoire vous paraît-elle poétique? Mentionnez plusieurs passages dans le conte qui contiennent des éléments poétiques.

5. Quels changements Giono a-t-il introduits dans la légende homérique?

6. L'impression principale que vous fait cette histoire, est-elle dramatique, tragique, ironique, poétique? Justifiez votre réponse.

Le Chant du monde

1. Qu'est-ce qui indique la saison de l'année?

2. Quelles odeurs l'auteur nous fait-il sentir? Quelle importance a l'odorat dans les descriptions de Giono?

3. Pourquoi a-t-on étranglé le chien?

4. Qui se trouvaient dans la maison?

5. Comment a-t-on immobilisé les deux gardiens? Pourquoi fallait-il les tirer dehors?

6. Comment Antonio et le besson se sont-ils déguisés?

7. Comment le besson a-t-il mis le feu?

8. Décrivez le confusion causée par l'incendie.

9. Qu'est-ce qui prouve que Gina connaissait le motif de l'attaque?

10. Est-ce que les vaches se sont sauvées comme les bœufs?

11. Qu'est-ce que Maudru a essayé de faire?

12. Que faisait le besson contre le dessein de Maudru?

13. Pourquoi Antonio attaqua-t-il son ami?

14. Comment expliquez-vous cette différence dans l'attitude des deux amis?

15. Quelles qualités littéraires remarquez-vous dans cet épisode?

16. A votre avis Giono mérite-t-il le titre de poète épique?

Noé

1. Quelle était la réaction de Giono à l'égard de sa «réclusion complète»?
2. De quoi souffrait-il en prison?
3. Qui a mis fin à cette souffrance?
4. Quelle était la réputation de Giono parmi les autres prisonniers?
5. Qu'est-ce qui a causé l'inquiétude du sergent-chef Césari?
6. Quelle était l'attitude de Giono envers Melville?
7. Décrivez le local où Giono a écrit *Pour saluer Melville*.
8. Quel rapport y avait-il entre ce local et le fort Saint-Nicolas?
9. Décrivez l'hallucination qui s'est emparée de l'auteur.
10. Qu'avez-vous appris dans cette sélection sur le caractère de Giono?
11. Qu'avez-vous appris sur la façon imaginative dont il conçoit ses livres?

Le Hussard sur le toit

I

1. Comment l'auteur réussit-il à nous donner une impression de chaleur intense?
2. Pouvez-vous signaler des exemples d'onomatopée dans les premiers paragraphes?
3. Quel était le spectacle terrible qu'Angélo a vu dans la rue?
4. Comment expliquez-vous l'attitude d'Angélo envers l'homme et la femme qui mouraient du choléra?
5. Pourquoi était-il «prisonnier des toitures»?
6. Qu'est-ce qu'il a fait pour pouvoir marcher avec moins de danger sur les toits?
7. Comment expliquez-vous l'importance que l'auteur donne au chat dans cette histoire?
8. Décrivez l'horreur de l'attaque des oiseaux contre Angélo.

9. De quoi souffrait-il le plus? Comment s'est-il désaltéré d'abord?

10. Pourquoi avait-il peur des habitants? Comment a-t-il reconnu qu'ils étaient des égoïstes?

II

1. Qu'est-ce qui montre les superstitions des habitants?

2. Quelles provisions Angélo a-t-il trouvées dans la cave?

3. Quelles manifestations du choléra a-t-il vues sur la place?

4. Quelle était la fonction des hommes blancs avec le tombereau?

5. Qu'est-ce que le groupe de femmes croyait voir dans le ciel? Y trouvez-vous une indication de leur état d'âme?

6. Pourquoi la petite fille fait-elle un si grand contraste avec ce qui s'est passé?

7. Quelle signification voyez-vous dans les coups frappés dans la porte de l'église?

8. Pourquoi les oiseaux ont-ils attaqué Angélo une seconde fois?

9. Pourquoi a-t-il pensé que l'envie de fumer un cigare était bon signe?

10. Quelle sorte de rêves a-t-il faite dans la nuit?

11. Décrivez la procession qui gravissait le tertre.

12. Quels sons indiquent le progrès terrifiant du choléra?

13. Qu'est-ce qui est arrivé aux trois hommes blancs qui accompagnaient le tombereau, et quelle était la réaction d'Angélo?

III

1. Comment les habitants expliquent-ils le choléra?

2. Comment Angélo a-t-il réussi à passer dans un autre quartier?

3. Quelles différences a-t-il remarquées entre ce nouveau quartier et celui qu'il vient de quitter?

4. Qu'est-ce qui excuse «toutes les révolutions» et même l'attaque brutale contre Angélo, à son avis?

5. Que faisaient les nonnes et qui les surveillait?

6. Que brûlait-on dans les bûchers autour de la ville? Quel bruit faisaient-ils?

7. Est-ce que la répétition constante des motifs — bûchers, roulement de tombereaux, gémissements, blancheur éblouissante du

soleil — devient monotone? A votre avis, cette monotonie est-elle voulue par l'auteur? Expliquez.

8. Comment Angélo a-t-il réussi à entrer dans le grenier?

IV

1. Montrez le contraste entre la description poétique du grenier et le réalisme effrayant des scènes de choléra.

2. Qu'est-ce qui nous tient en suspense pendant la descente du grenier?

3. Quelles indications du caractère d'Angélo trouvons-nous dans sa rencontre avec la jeune femme?

4. Quels traits remarquez-vous dans le caractère de celle-ci?

5. Pourquoi Angélo a-t-il honte?

6. Qu'est-ce que la jeune femme lui a offert?

7. Qu'est-ce qu'il lui a offert? Pourquoi a-t-elle refusé?

8. Pourquoi Angélo admire-t-il la jeune femme?

9. Quelle idée s'est-il faite de sa propre conduite?

10. Quelle idée l'a torturé toute la nuit?

11. Après avoir terminé cet extrait, trouvez-vous que l'auteur a réussi à donner au choléra une force épique?

12. Comme vous l'avez deviné, sans doute, cette jeune femme va être l'héroïne du roman. Trouvez-vous que le contraste entre la noblesse idéale de ce personnage et le réalisme angoissant du récit explique en partie le succès de ce roman?

VOCABULARY

NOTE: All words coined by Giono himself are followed by the indication (*G*).

A

abaisser to lower

abandon *m.* abandonment; lack

abandonné forsaken

abattre to lower, depress

abeille *f.* bee

abîme *m.* abyss

aboi *m.* barking, baying

abondamment abundantly

abord: d'—, at first

aborder to arrive at, come to, approach

aboyer to bark, bay, yelp

abreuvoir *m.* drinking-trough

abri *m.* shelter

abriter to shelter; **s'—,** to take refuge

abruti stupid

s'acagnarder to doze, lead an idle life

accabler to overpower, overwhelm

accéder to arrive (at); have access (to)

s'accoiter to hide (*old French*)

accoler to place against; join together

accompagnement *m.* accompanying; attendance

accomplir to carry out

accord: d'—, agreed; **se mettre d'—,** to come to an agreement

s'accouder to lean on one's elbow

accrocher to catch

accroupi crouched, crouching

accuser to reveal, indicate

acharnement *m.* fury

achat *m.* purchase

s'acheminer to proceed towards

acheter to buy, purchase

achever to finish

acier *m.* steel

actuellement now, at the present time

admettre to allow

adorner to adorn

adoucir to soften, alleviate, appease

adroit dexterous, skilful, handy

adroitement cleverly

adversaire *m.* adversary, antagonist

aérer to ventilate

aérien light, airy

affaire *f.* business, affair, transaction; matter; **Ça faisait tout à fait l'—**, that was just the thing; **faire l'—**, to answer the purpose

s'affairer to bustle

s'affaisser to sink, give way

s'affaler to drop, flop

affamé famished

affectueusement affectionately

affirmer to assert, confirm

affoler to distract; infatuate; madden

affouiller to undermine, wash away

agacer to excite; provoke; tease

s'agenouiller to kneel, fall on one's knees

agglomérer to mass together, pile up

agir to act; **s'— de** to be a question of

agiter to disturb, excite; **s'—**, to be agitated; toss; flutter

agneau *m.* lamb

agnelet *m.* lambkin

agonie *f.* death pangs

agonisant *m.* dying person

agrafe *f.* hook or clasp fastening into a ring

agrafer to clasp

agrandir to enlarge, exaggerate

agrandissement *m.* enlargement

agripper to grip, snatch

aguets *m. plu.* watch, lookout

ahan *m.* great effort

aider to aid, help

aigre sour, tart

aigremoine *f.* (*bot.*) agrimony

aigu pointed, sharp

aiguille *f.* needle

aiguiser to whet, sharpen; excite

ail *m.* garlic

aile *f.* wing, pinion

ailé winged

ailleurs somewhere else; **d'—**, besides, moreover

aimable kind

aimer to love, like

aîné *m.* eldest son

ainsi thus

air *m.* look, air; **avoir l'— de** to look like, to seem to

aire *f.* area, space; threshing-floor; stretch

aisance *f.* facility

aise *f.* ease

aisé comfortable

ajouter to add

alenté slackened (*G*)

alentour round about

aligné(s) in succession

aligner to line up

aliment *m.* nourishment

aller to go; **Ça va?** It's all right? **allons** come now; **s'en —**, to go away

allongé outstretched

allongement *m.* lengthening, elongation

allonger to stretch; **s'—**, to stretch out

allumer to light

allumette *f.* match

allure *f.* carriage, behavior; aspect

alors then; **— que** whereas

alouette *f.* lark

alsacien Alsatian

amadou *m.* tinder

amande *f.* almond

amandier *m.* almond tree

amarrer to moor, make fast

amasser to collect

amateur *m.* devotee, one fond of

âme *f.* soul, mind
amener to bring
amenuiser to make thinner
amer bitter, pungent
amertume *f.* bitterness
ameuter to stir up
amitié *f.* friendship
amour *m.* love
amoureusement amorously, lovingly
amoureux *m.* lover, sweetheart
amusette *f.* child's play
an *m.* year
ancien ancient, old; former
andouille *f.* (*pop.*) imbecile
andouillette *f.* small pork sausage
âne *m.* ass, donkey
ânesse *f.* she-ass
ange *m.* angel
anglais English
angoisse *f.* anguish
angoisser to distress
anguille *f.* eel
anguleux angular
s'animer to become animated, lively
anis *m.* anise, aniseed
ânon *m.* ass's foal, young ass
anormalement abnormally
anse *f.* cove, little bay
antenne *f.* horn of an insect
anxieux uneasy, restless
août *m.* August
apailler to strew straw (*G*)
apaiser to appease, allay; **s'—**, to abate, subside
apercevoir to perceive
apic *m.* cliff, bluff
s'aplatir to be flattened
aplatissement *m.* flattening, flatness
aplomb *m.* assurance; **mal d'—**, unsteady
apostropher to address

apparaître to appear
appartenir to belong
appel *m.* call
appeler to call, summon
appétit *m.* appetite, craving
s'appointer to pucker (*for a kiss*)
apporter to bring
apprendre to learn
s'apprêter to get ready
approcher to put near; **s'—**, to approach
appuyer to support, lean; stress
après after, afterwards, later; **et — ?** and what then?
après que after
après-midi *m. or f.* afternoon
aragne *f.* spider
araire *m.* swing-plough
arbre *m.* tree
arc *m.* bow; arc
arc-boutant *m.* flying buttress
arçon *m.* saddle-bow; **pistolets d'—**, horse-pistols
ardoise *f.* slate
arête *f.* fish bone; ridge, roof ridge
argent *m.* silver; money
argile *f.* clay
armoire *f.* closet, cupboard
armoise *f.* wormwood
armure *f.* armor
arpion *m.* foot (*slang*)
arracher to tear away, uproot; **s'—**, to break loose
arrêt *m.* pause, halt
s'arrêter to stop, pause
arrière: en —! back!
arrière-fond *m.* depth
arrière-garde *f.* rear-guard
arrière-pays *m.* back country
arrimer to stow
arrivée *f.* arrival
arriver to arrive, reach; succeed; happen

arroser to sprinkle
article *m.*: **à l'— de la mort** at the point of death
artifice *m.*: **feu d'—**, fireworks
aspirer to suck in
assaut *m.* assault, attack
s'assécher to be drained
assemblée *f.* party
s'assembler to assemble, meet
asséner to strike or deal (*a blow*)
s'asseoir to take a seat
assez enough, sufficiently; rather
assiette *f.* plate
assis seated, established
assombrir to darken, make gloomy
assommer to overpower; beat to death; knock on the head
assurer to fasten, steady, make firm
atelier *m.* workshop
athlétisme *m.* athletics
atout *m.* trump, trump card
âtre *m.* hearth, fireplace
atrocement atrociously, cruelly
attacher to fasten, attach
attaquer to attack
atteindre to reach, overtake
atteint hit, struck, reached
atteinte *f.* reach
attelage *m.* team
attendre to wait for; be in store for; **s'— à** to expect
atterrer to overwhelm
attirant alluring, enticing
attirer to attract, draw, lure
attraper to seize
aubaine east (*G*)
aube *f.* dawn
aubier *m.* sap-wood
aucun no, not any
au delà beyond
au-dessous below
au-dessus above, over

aurochs *m.* bison
aussi also, likewise; as
aussitôt immediately
autant as much, as many; **d'— que** since, more especially as
automne *m. and f.* autumn, fall
autorité *f.*: **d'—**, of one's own prerogative
autour about, around
autre other; **— chose** something else; **nous —s** the likes of us; **à d'—s** tell that to the marines, let someone else do it
autrement otherwise
avaler to swallow
avance: **d'—**, beforehand
avancer to move forward, advance; **s'—**, to come forward
avant before, first; **en —!** forward! **de l'—**, ahead
avatar *m.* avatar, adventure
avec with
s'aventurer to venture
s'avérer to appear
aveuglant blinding, dazzling
avilissant degrading, humiliating
avis *m.* opinion; **être d'—**, to be of the opinion
aviser to consider, think about
avoine *f.* oats; **roseaux- —s** (*m.*) oat-reeds
avoir to have; **il y a** there is, there are; ago; **— beau faire** to do in vain
avouer to confess
axe *m.* axis

B

babine *f.* lip
badassière *f.* place planted with thyme (*Prov.*)

bagarre *f.* riot, uproar
bagatelle *f.* trifle; nonsense
baigner to bathe, suffuse
bâiller to yawn
baiser to kiss; *n. m.* kiss
baisser to lower, diminish; **se —**, to bow down
bajoue *f.* jowl
bal *m.* dance
balai *m.* broom
balalin-balalan onomatopoetic sound to lull a child to sleep
balancelle *f.* felucca (*Italian boat*)
balancer to swing to and fro; **se —**, to swing
balayer to sweep
baleine *f.* whale
ballon *m.* balloon
ballot *m.* pack, bundle
ballotter to toss about, shake
balourdise *f.* stupidity
baluchon *m.* bundle of clothes (*coll.*)
banc *m.* bench
bande *f.* band, gang, pack
bandé taut
bandoulière *f.*: **en —**, slung across the back
bannière *f.* banner
baraque *f.* hut, shed
barbe *f.* beard
barbelé barbed; **fil de fer —**, barbed wire
bardane *f.* bur, burdock
bardé coated, larded
bardot *m.* pack-mule
barque *f.* bark, boat, small craft
barre *f.* bar
barreau *m.* small bar
barrer to bar
barrière *f.* barrier, obstruction
barrique *f.* large barrel, hogshead

bas low; **en —**, below
bas *m.* bottom; stocking
basane *f.* sheepskin
bas-fond *m.* low ground; hollow
bassin *m.* pond
bastringue *m.* dance hall (*pop.*)
bât *m.* packsaddle
bataille *f.* battle
batailleur *m.* combative or disputatious person
bâtard bastard, spurious; queer; mongrel
bâtiment *m.* building, structure
bâtir to build, establish; mortar
bâton *m.* stick, staff
bâtonnet *m.* little stick; **— soufré** match
battant *m.* leaf (*of a door*)
batterie *f.*: **— de cuisine** kitchen utensils
battre to beat; **se —**, to fight
battu beaten, covered
bauge *f.* lair, den
bave *f.* slaver, foam
baver to drool; **en —**, to be flabbergasted; lap it up
baveux slobbering
béat sanctimonious, complacent
beau beautiful, handsome; **bel et bon** all very well
beaucoup many; much; a great deal
bec *m.* beak, bill
becqueter to peck
bedonner to get stout
béer to gape
bègue *m.* stammerer, stutterer
bêlement *m.* bleating
bêler to bleat
bélier *m.* ram; battering ram
belvédère *m.* turret, terrace, belvedere

bénéfice *m.* benefit, profit, advantage

benne *f.* hamper, basket

berceau *m.* cradle; bower

bercement *m.* lulling

berceur soothing, lulling

béret *m.* cap

berge *f.* steep bank of a river

berger *m.* shepherd

bergerie *f.* sheepfold

besace *f.* wallet

besoin *m.* need

besson *m.* twin

bête stupid; *n. f.* animal

bêtement stupidly

biberon *m.* infant's feeding bottle

bibliothèque *f.* library

bief *m.* reach of a canal (*between two locks*)

bien well; much, many; certainly, indeed; **ou —**, or else

bientôt soon

bienvenue *f.* welcome

bile *f.* bile

billet *m.* ticket; **je vous en fiche mon —**, you may take my word for it

bivac *m.* bivouac, camping ground

blague *f.* tobacco pouch; joke

blaguer to joke

blanc white; **— malade** pale and sickly

blancheur *f.* whiteness, light

blé *m.* wheat

blesser to wound

blessure *f.* wound, injury

bleu blue; wonderful (*fig.*)

bleuâtre bluish

bloquer to stop

bobine *f.* spool

bœuf *m.* ox

boire to drink

bois *m.* wood

boîte *f.* box, can

boiter to limp

bol *m.* bowl

bomber to swell out, arch

bombu bulging, deep-chested; *n. m.* bulge

bondir to bound, leap, spring

bonhomme *m.* old fellow, old codger; toy figure

bonnet *m.* cap

bord *m.* edge, border; board; **à ras —**, to the brim

border to border

bordure *f.* border, rim

bosquet *m.* grove

bosse *f.* boss, relief (*arch.*)

botte *f.* boot

bottine *f.* (ankle-)boot

bouc *m.* he-goat

bouche *f.* mouth; **— cousue** mum's the word

bouché stopped up, shut, without any opening

bouchère *f.* butcher's wife

boucherie *f.* butcher's shop

bouchon *m.* stopper, cork

boue *f.* mud; filth; slime

boueux muddy

bouffée *f.* puff

bouffer to eat, guzzle (*slang*)

bouger to stir, wave

bougie *f.* wax-candle

bougre *m.* chap, fellow (*pop.*)

bouillir to boil; be excited

bouillonnement *m.* bubbling up, ebullition

bouillonner to bubble

boulange *f.* bakery

boulanger *m.* baker

boulangère *f.* baker's wife

boulangerie *f.* bake-house

boule *f.* ball

bouler to roll like a ball

boulet *m.* cannonball; **traîner le —**, to drag one's ball and chain

bouleversement *m.* confusion

bourdon *m.* bumblebee
bourdonner to hum
bourg *m.* village, town
bourgeois middle-class
bourrade *f.* thrust, buffet
bourrasque *f.* gust
bourrer to fill; thrash; hammer; **se —**, to cram oneself
boursoufler to puff up
boursouflure *f.* bloatedness
bousculer to turn upside down, jostle; bully
bout *m.* end; bit; **au — de** after
bouteille *f.* bottle
boutique *f.* shop
boutonner to button
bouvier *m.* cowherd, ox-driver
braise *f.* wood-embers, live coals
brancard *m.* shaft
branchage *m.* branches
branchu bifurcated
bras *m.* arm; **à tour de —**, with all one's might
brasier *m.* fire; brazier
brasse *f.* stroke
brasser to brew, stir up
brassillement *m.* sparkling
brave worthy, fine; brave
brebis *f.* ewe; **— folle** ewe in heat
brechet *m.* breastbone
bredouiller to stammer, stutter
bref brief; in short, briefly
bréviaire *m.* breviary
bride *f.* bridle, bridle-rein, check
brillant glittering, bright
briller to shine, sparkle
brique *f.* brick
briquet *m.* tinderbox; **battre le —**, to strike a light
brisées *f. pl.* footsteps, traces
briser to break
brisure *f.* break

brochet *m.* pike
broncher to falter; flinch
brouette *f.* wheelbarrow
brouillade *f.* quarrel
brouillard *m.* fog, mist
bruire to rustle
bruit *m.* noise, rumor
brûlant burning, scorching, hot
brûler to burn
brûleur *m.* burner
brume *f.* haze, mist
brun brown; dark
brusquement brusquely, bluntly
brusquer to precipitate; offend
brutaliser to bully
bruyère *f.* heather
bûche *f.* log
bûcher *m.* pyre, funeral-pile
buis *m.* boxwood
buisson *m.* bush, thicket
bulbe *m.* bulb
bulle *f.* bubble
buraliste *m.* clerk
buste *m.* bust, head and shoulders
buter to stumble
butiner to pillage, pilfer

C

caban *m.* cloak
cabane *f.* hut
cabinet *m.* office, study; **— de travail** study
caboche *f.* pate, noddle
cacher to hide
cacheté: vin —, old (*vintage*) wine
cacheter to seal
cachette *f.* hiding place
cadavre *m.* corpse
cadre *m.* frame, outline
café *m.* coffee; café
cafetière *f.* coffeepot

cage *f.* cage; — **d'escalier** stairwell

cailler to clot, coagulate

caisse *f.* chest, case; drum; **grosse** —, big drum

caisson *m.* caisson; compartment

calciner to burn

calcul *m.* calculation, reckoning

calculer to calculate

câlin coaxing, cajoling

calmant calming, soothing

calmer to quiet, soothe

camarade *m.* comrade

campagne *f.* country; campaign

campane *f.* bell; ornamental covering with fringe and tassels

campement *m.* camp

canard *m.* duck

cannelure *f.* grooving

cannette *f.* little reed (*Prov.*)

cannier *m.* spot planted with long green reeds like bamboo (*Prov.*)

canon *m.* barrel (*of gun*); spout

cantique *m.*: **le — des cantiques** The Song of Songs

canton *m.* district, vicinity

capitaine *m.* captain

capot: être —, to have lost all the tricks

caprille *f.* kind of fish

capuchon *m.* hood, cowl

caraco *m.* woman's loose jacket

carapace *f.* turtle shell

carcasse *f.* framework

caresser to caress

cargaison *f.* cargo

carne *f.* flesh, carrion

carnier *m.* game bag

carquois *m.* quiver

carré square, well-set; *n. m.* square

carrefour *m.* crossroad

carrément straightforwardly, downrightly

se carrer to strut, loll

carrousel *m.* merry-go-round

carton *m.* pasteboard, cardboard

cartouche *f.* cartridge

cas *m.* case; **au — où** in case; **faire — de**, to esteem, value

caserne *f.* barracks

casque *m.* helmet

casquette *f.* cap

casser to break, smash; dissolve

cataplasme *m.* poultice

cause *f.* cause; **à — de** because of

cavale *f.* mare

cave *f.* cellar

céder to yield, give in

cèdre *m.* cedar

ceinture *f.* belt

cellule *f.* cell

censément supposedly

cent one hundred

cependant yet, however; meanwhile

cercle *m.* circle; hoop; club, clubhouse

cerf-volant *m.* kite

certes indeed, certainly

cervelle *f.* brains, mind

cesse *f.* ceasing, respite

chacun each, each one

chagrin *m.* grief, sorrow

chair *f.* flesh

chaise *f.* chair

châle *m.* shawl

chaleur *f.* heat, warmth

chambre *f.* room

chambron *m.* little room (*Prov.*)

champ *m.* field, scope, opportunity; — **de bataille** battlefield

champanelle *f.* rustic salad, usually of dandelions (*Prov.*)

champignon *m.* mushroom

chance *f.* luck, good fortune; **une rude —**, a great piece of luck

chanceler to stagger, totter, reel

chandelier *m.* candlestick

chandelle *f.* candle

changement *m.* change

changer to change; **se —**, to change clothes

chanson *f.* song

chanter to sing

chanteur *m.* singer, vocalist

chapeau *m.* hat

chapeauter to fit with a hat

chapiteau *m.* crest, top

chapitre *m.* chapter; **avoir voix au —**, to have an interest in the matter

chaque each, every

char *m.* car, carriage, vehicle

charbon *m.* coal

charbonnier *m.* coal-heaver

charge *f.* weight, load; charge

chargement *m.* load, cargo

charger to load

chariot *m.* wagon

chariteux charitable (*G*)

charmeur bewitching

charnier *m.* charnel-house

charrette *f.* cart

charrier to carry along

charroi *m.* train, clatter

charrue *f.* plough

chasse *f.* hunting

chasser to hunt; expel, banish

chat *m.* cat

châtaignier *m.* chestnut tree

chatouillis *m.* tickling

chattière *f.* cat-hole (*also written* **chatière**)

chaud warm, hot; *n. m.* warmth

chaudron *m.* cauldron

chauffer to heat; get warm

chaume *m.* stubble, thatch

chausse-trape *f.* snare, trap-door

chaussette *f.* sock

chausson *m.* light shoe

chaux *m.* lime; **— vive** quick-lime

chavirer to turn upside down, upset

chef *m.* conductor; **— de gare** stationmaster

chemin *m.* way, road

cheminée *f.* chimney; funnel; mantelpiece

cheminer to walk, proceed

chemise *f.* shirt, chemise; **bras de —**, shirt-sleeves; **— de lit** nightgown

chêne *m.* oak; **— vert** ilex, holm-oak

chéneau *m.* eaves, gutter (*on a roof*)

chercher to seek, look for, search for

cherchi-chercha *m.* poorly conducted search at random (*G*)

cheval *m.* horse; **à —**, on horseback; astride; across

chevalier *m.* knight

chevaucher to ride, be astride; overlap

chevelure *f.* head of hair, tresses

cheveu *m.* hair

cheville *f.* ankle

chèvre *f.* goat, she-goat

chien *m.* dog

chiendent *m.* couch grass

chiffre *m.* figure

chignon *m.* hair twisted behind, chignon

chiquenaude *f.* fillip, blow

chœur *m.* choir, chorus

choisir to choose
cholérique *m.* person with cholera
chose *f.* thing; **autre —,** something else
chou *m.* cabbage; **bête comme —,** idiotic
chrétien Christian
chuchu *m.* whispering
chute *f.* fall, collapse, downfall; disaster
ciel *m.* sky; heaven
cigale *f.* cicada
ciment *m.* cement
cinquante fifty
cire *f.* wax
cirer to wax
cirque *m.* circus
citronner to flavor with citron; to sharpen
clair clear, bright, luminous; indisputable
clairet *m.* light red wine
clairsemé scattered
clamer to shout
clapotant choppy
clapoter to plash
clapotis *m.* rippling, plashing
clappée *f.* smack of the tongue
claquer to crack, clack
clarifier to clarify, purify; **se —,** to settle
clématite *f.* clematis
clenche *f.* latch
cligner to wink, blink
cloche *f.* bell
clocher *m.* steeple, belfry
clochette *f.* small bell
clos *m.* enclosure
cloturer to close
clou *m.* nail, spike
cloussant clucking
clouter to stud
cocasse odd, comical

cochon *m.* hog, pig
cocon *m.* cocoon
cœur *m.* heart; **de gaîté de —,** with all her heart
coffre *m.* chest, trunk, box
cogner to thump, hit, bump
coi (*fem.* **coite**) quiet, still
coif *f.* coif, hood
coin *m.* corner
coincer to wedge, jam
col *m.* neck, collar
colère *f.* anger, wrath, rage, fury
collant sticky
collègue *m* colleague
coller to glue; apply a blow
collerette *f.* collar, yoke
collier *m.* necklace
colline *f.* hill
collinette *f.* little hill
colonne *f.* column
combe *f.* small valley, dale
combien how much, how many
combiner to plan, contrive, concoct
comble *m.* top; **de fond en —,** from top to bottom
combler to fill
comète *f.* comet
commandant *m.* commander
comme as, like; how; **— un** a kind of
commencer to begin
comment how; what!
commerce *m.* trade, intercourse
commettre to commit
commode convenient; *n. f.* chest of drawers
communiquer to communicate
compagnie *f.* society, companionship
compagnon *m.* comrade
compartiment *m.* compartment

complaisance *f.* compliance

compliquer to complicate

se comporter to behave, act

comprendre to include; understand, realize

compte *m.* reckoning, account; se rendre — de to realize; pour ton —, on your own

compter to count

comptoir *m.* counter

conerie *f.* foolishness, stupidity (*vulgar*)

confesser to receive the confession of

confiance *f.* confidence, trust

confiture *f.* preserve, jam

confrérie *f.* brotherhood; trade

confusément vaguely, dimly

connaissance *f.* acquaintance

connaître to know, be acquainted with

conseil *m.* advice

conseiller to advise

conséquent: par —, therefore

conserve *f.* preserve, canned food

constamment continually, constantly

construire to construct

contaminer to contaminate

contenir to contain, include, hold in

conter to relate

continu continuous, incessant

continuer to continue

contradictoire contradictory, conflicting

contraire contrary, opposite

contrairement in opposition

contre against; near; à — -jour against the light; par —, on the other hand

contrevent *m.* window shutter

convenable suitable, proper

convenir to agree; admit

copeau *m.* shaving, chip, bit

copieux copious, plentiful

coq *m.* cock; être comme un — en pâte to be in clover

coque *f.* shell

coquet smart, stylish, natty

coquille *f.* shell

corbeau *m.* crow, raven

corbeille *f.* basket

corde *f.* cord, rope

corder to tie, bind with a cord

cordonnier *m.* shoemaker

corne *f.* horn

corneille *f.* crow

corner to make a din, blare out

corps *m.* body trunk; — de maison main building

cossu substantial, rich

côte *f.* rib

côté *m.* side; à — de near; de —, aside, aslant; de l'autre —, on the other side; de tous —s on all sides; du — de towards; de mon —, towards me; de —, alongside; d'un autre —, on the other hand; a — de lui to his side, beside him

coteau *m.* little hill

cou *m.* neck

couchant setting; soleil —, setting sun

couche *f.* bed

couché recumbent

se coucher to go to bed, lie down

couchette *f.* bunk

coucou *m.* cuckoo

coude *m.* elbow; bend

coudre to sew; machine à —, sewing machine

couffe *m.* hamper, basket

couffin *m.* hamper, basket

couillon stupid
couler to flow, ooze out; **se —,** to creep, slip, steal
couleur *f.* color
coulis *m.* strained juice
couloir *m.* corridor
coup *m.* blow, stroke; draught; shot; **du —,** suddenly; **sur le —,** suddenly; **un — de main** a helping hand; **tout d'un —,** all at once; **tout à —,** all of a sudden; **— de pointe** thrust
couper to cut, cut off
cour *f.* courtyard
courant *m.* current, draught
courbe *f.* curve
courber to curve, bend; **se —,** to bend
courir to run
couronne *f.* crown, coronet
couronné crowned
cours *m.* course
course *f.* running, race; **à la —,** running
court short, brief
courtier *m.* broker
coussin *m.* cushion
cousu sewed; **bouche —e** mum's the word
couteau *m.* knife
coûter to cost
coutil *m.* duck
coutume *f.* custom
couver to smoulder
couvert *m.*: **mettre le —,** to set the table
couvrir to cover, wrap up
cracher to spit out
crachoter to spit
craie *f.* chalk
crainte *f.* fear
craintif timorous, timid
se cramponner to hold fast, cling to

cran *m.* notch
crapulerie *f.* (*pop.*) foul trick
craquement *m.* cracking, snapping
craquer to crack, crackle, snap
crèche *f.* manger
crème *f.* cream
créneau *m.* battlement
crépi *m.* plaster, whitewash
crépuscule *m.* twilight
cresson *m.* cress
crête *f.* crest, top
crétois Cretan
creuser to dig, scoop out; **se —,** to become hollow
creux hollow
crever to burst, break open
cri *m.* cry, scream
crier to cry out; **— au péché** to cry out "sin"
crinière *f.* mane
crissement *m.* grating, squealing
crisser to squeak
critique critical, dangerous
crochu crooked, hooked
croire to believe
croiser to cross
croissant *m.* crescent
croix *f.* cross; **en —,** crossed
crosse *f.* stock
crotte *f.* dirt; spot
crouler to give way, collapse
cru raw
cruche *f.* pitcher, jar, jug
crucifier to crucify
cuiller *f.* spoon
cuillerée *f.* spoonful
cuir *m.* leather
cuisine *f.* kitchen
cuisse *f.* thigh
cuivre *m.* copper
cul *m.* backside, posterior
culotte *f.* breeches
curé *m.* parish priest

curer to clean out
curieux curious, singular
cyprès *m.* cypress tree

D

dalle *f.* flagstone
daller to pave with flagstones
dame *f.* lady
damier *m.* checkerboard, chess board
se dandiner to saunter
dangereux dangerous
danse *f.* dance
danser to dance
dard *m.* dart
darder to dart
dauphin *m.* dolphin
déambuler to stroll along
déballage *m.* unpacking
débarras *m.* lumber-room
débarrasser to free, disencumber
débat *m.* altercation, strife
se débattre to struggle
déborder to rise above
déboucher to open; emerge
debout standing
débrouillard resourceful
se débrouiller to get along
début *m.* outset, commencement
débuter to begin
décemment decently
déchirant heartrending, harrowing
déchirer to tear, rend
déclencher to detach, release, start in motion
décoiffer to remove sealing wax (*from a bottle*)
décollation *f.* beheading
décoller to unglue; **se —**, to come off
décontenancer to abash

découvert uncovered, open, bare; unwooded; *n. m.* open space
découvrir to uncover, expose
décrire to describe, depict
décroiser to uncross
dedans within, inside; **en —**, on the inside, within; **taper —**, to hit him (*pop.*)
déesse *f.* goddess
défaire to undo, untie; **se —**, to come undone, come loose
défendre to defend, protect
déferler to unfurl
défier to defy, challenge
se défiler to make off, slip away
défriser to uncurl; ruffle
dégagé bold, free
dégager to extricate; **se —**, to break loose
déglutition *f.* swallowing
dégoût *m.* disgust; mortification
dégrafer to unclasp, unbutton
dehors outside
déjà already
déjeuner to breakfast, lunch
délayer to dilute
délibéré deliberate
délibérément deliberately
délicieux delightful
delindelon imitation of sheep-bell's sound
déliter to split; upend
délivrer to deliver, release, set free; issue
demain tomorrow
demander to ask; to seek in marriage; **se —**, to wonder
se démener to struggle
demeure *f.* abode; stay
demeurer to remain
demi half; **— - boule** half loaf; **à —**, half; **faire — - tour** to turn back

demi-jour *m.* twilight
demoiselle *f.* young lady, young girl
se dénouer to be unraveled, cleared up
dent *f.* tooth; fang; **mettre sous la —**, to put in one's mouth
dentelle *f.* lace
départ *m.* departure
dépasser to go beyond, be higher than, stick out
dépeigner to ruffle
dépêtrer to disentangle, extricate
dépister to throw off the scent
déplacer to shift, move
déployer to unfold
depuis since, from
déranger to disturb
dératé: courir comme un —, to run like a greyhound
dernier last, vilest
se dérober to escape; give way
se dérouler to spread out
derrière behind
dès from
désabusé indifferent
se désaltérer to quench one's thirst
désarroi *m.* disorder, confusion
descendre to descend, go down
descente *f.* descent
désespéré desperate
désespérément desperately
désespoir *m.* despair
désigner to designate, point out
désœuvré idle
désordre *m.* disorder, disturbance
désormais henceforth, from now on
dès que as soon as
dessécher to parch

dessein *m.* plan, design
desserrer to loosen, relax; **se —**, to get loose
desservir to clear (*a table*)
dessous under, below, underneath
dessus on, over, above, on it; **— -dessous** upside down; *n. m.* top; **prendre le —**, to get the upper hand
destin *m.* destiny, fate
destiner to purpose
détendre to relax; let fly
détenir to withhold, keep back
détente *f.* relaxation, easing
détour *m.* turning
détourner to turn away or aside, to divert
détromper to undeceive
deuil *m.* mourning, mourning clothes
dévaler to descend
devancer to precede; outrun, outstrip
devant before, in front of
devenir to become
devers *m.* slope
dévier to turn aside
deviner to guess, understand
dévirer to veer off
dévisager to stare at
dévisser to unscrew
devoir to have to, be bound to; **se —**, to be proper
dévouement *m.* devotion, self-sacrifice
diable *m.* devil
diablesse *f.* she-devil, vixen, shrew
diapré dappled, variegated
dicter to dictate, prescribe
dieu *m.* God
digue *f.* dike, embankment
diluer to dilute
dimanche *m.* Sunday

dire to say, tell; **vouloir —**, to mean; **pour ainsi —**, so to speak

diriger to direct, conduct

discret discreet, cautious

discuter to discuss, debate

disparaître to vanish, disappear

disparate *f.* dissimilarity

disperser to scatter, spread

dispos in good fettle or form, hearty

disque *m.* discus

disséminer to scatter

dissimuler to conceal, hide

distinguer to distinguish, make out

divers diverse; several

dix ten

dizaine *f.* (about) ten; half a score

dodeliner to dandle, sway

dodu plump

dogue *m.* mastiff

doigt *m.* finger

dominer to dominate

dommage *m.* damage, detriment

donc then, therefore

donner to give; open on; strike (*a blow*)

dont whose, of which

doré gilded, golden

dorénavant henceforth

dormir to sleep, lie still

dos *m.* back, top

doubler to double; line (*a coat*)

douce: à la —, "on the Q.T."; **—ment** gently, softly

douceur *f.* sweet savor, delight

douleur *f.* pain, anguish

douloureux painful

doute *m.* doubt; **cela ne fait aucun —**, there is no doubt about it

douter to doubt; **se —**, to suspect

doux sweet, pleasant

dragon *m.* dragoon

draille *f.* path, ditch (*Prov.*)

drap *m.* cloth, bed sheet

dresser to erect, set up; **se —**, to stand erect

dressoir *m.* dresser, sideboard

droit straight, upright, standing

droite *f.* right hand, right; **à — et à gauche** right and left

drôle funny, strange, queer

dur hard, harsh; *n. m.* tough old chap

durcir to harden

durement hard, harshly

durer to last, continue, endure

dureté *f.* hardness, toughness

duvet *m.* down, fluff

duveteux downy

E

eau *f.* water; **entre deux —x**, under water

ébahi dumfounded

éblouir to dazzle, fascinate

éblouissant dazzling

ébouler to fall in, sink; **s'—**, to collapse

ébouriffer to ruffle

ébranler to shake

ébrécher to notch, indent

écaille *f.* scale

écailler to cover with scales

écailleux scaly

écarlate scarlet

écarquiller to open wide, spread out

écart: à l'—, aside, in solitude; **tirer vers l'—**, to go to one side

écarter to separate, open, throw wide apart; **s'—**, to turn aside, swerve

échafaudage *m.* scaffolding

échafauder to erect, pile up

échapper to escape

écharpe *f.* scarf; **avoir le bras en —**, to have one's arm in a sling

écharper to slash, cut to pieces

écheler to climb (*G*)

échelle *f.* ladder

échine *f.* spine

échouer to be stranded

éclair *m.* flash

éclairer to light, illuminate

éclat *m.* brightness, glitter

éclatant bright, sparkling, glittering

éclatement *m.* explosion

éclater to split, burst, break in pieces

écœurer to disgust, sicken; deject

écorce *f.* bark (*of tree*)

écorcher to scrape, skin; **s'—**, to rub or tear one's skin

écorner to curtail, diminish

écossais Scotch

écossaise *f.* plaid, tartan-cloth

écouter to listen to

écraser to crush; **s'—**, to cower

écrevisse *f.* crayfish, crawfish

écrire to write; **c'était écrit** it was bound to happen

écriture *f.* writing

écrivain *m.* writer, author

s'écrouler to collapse

écu *m.* crown (*unit of money*)

écuelle *f.* bowl

écume *f.* foam

écumer to foam

effacer to blot out, obliterate; throw back; **s'—**, to move aside

effet *m.* effect, consequence; impression

s'effondrer to fall in, collapse

effrayant frightful, dreadful

effrayer to frighten, startle

effréné unruly, wild

effroi *m.* fright, terror

effroyable frightful, dreadful

égailler to scatter, disperse

égal equal; **—ement** also, likewise

égide *f.* shield, buckler

église *f.* church

égorger to slaughter, butcher, cut the throat of

s'égoutter to drip

égratigner to scratch

élan *m.* start

s'élancer to dart forth

élargir to spread out, extend, enlarge; **s'—**, to stretch

élever to raise; **s'—**, to rise

éloge *m.* eulogy, praise

élogieux eulogistic, flattering

éloigné distant

éloignement *m.* distance

s'éloigner to go away, withdraw

emballé: cheval —, runaway horse

s'emberlificoter to get entangled

embêter to annoy

d'emblée at first, directly

s'embourber to stick

embraser to set on fire

embrasser to embrace, clasp, kiss

embrasure *f.* recess

s'embroncher to stumble

embroussaillé bushy, matted, tousled

embusquer to place in ambush

émerger to emerge

émettre to emit, give out

émietter to crumble
éminence *f.* height
éminent high
emmailloter to swaddle, swathe
s'emmancher to join together
emmêler to tangle
emmener to lead away
emmerder to annoy (*very coarse*)
empaqueter to pack up, do up
empêcher to prevent
empenner to feather
empesé starched
empiler to pile up, stack
emplein entirely, all the surface of; in the middle (*G*)
emplir to fill
employer to employ, use, engage
emplumer to feather
empoigner to grasp, seize
empoisonné poisoned
empoisonneur *m.* poisoner
empoissé sticky
emporter to carry away, remove; blow away; gain
empreinte *f.* impression, imprint
emprunté constrained, embarrassed
ému moved, affected
encadrer to frame, encircle
enceinte *f.* enclosure
encens *m.* incense
enchevêtrement *m.* entanglement, confusion
encoignure *f.* corner
encore yet, still, again
encorner to gore, toss
encre *f.* ink, inky darkness
encroûté covered with a crust
endormir to lull asleep; **s'—**, to be lulled into security
endroit *m.* place, spot

énerver to weaken; get on the nerves; **s'—**, to become unnerved *or* fidgety
enfaîtage *m.* ridge (*of a roof*)
enfant *m.* child; **faire un —**, to be in labor
enfermer to shut in, imprison
enfilade *f.* enfilade
enfiler *f.* to slip on
enfin at last, finally
enflammé on fire
enflammer to kindle, ignite
s'enfler to swell
enfoncer to thrust, push in; **s'—**, to sink, bury oneself
s'enfuir to run off, vanish
engager to engage; insert; **s'—**, to enter; begin
s'engloutir to be swallowed up *or* engulfed
s'engouffrer to be swallowed up
enjamber to step over, leap over
enlever to lift; carry away, remove, kidnap; transport, delight; **s'—**, to come out
énorme enormous
s'enquérir to inquire
enrober to wrap, cover, coat
enrouler to roll; **s'—**, to twine, twist round
ensemble together
ensuite afterwards
entasser to pile up, accumulate
entendre to hear, understand; intend; **cela s'entend** of course, to be sure; **bien entendu** of course
enterrer to bury
entier entire, whole
entièrement entirely
entonnoir *m.* funnel
s'entortiller to twist or wind oneself round

entourer to surround

entrailles *f. plu.* tenderness, heart

entraîner to carry; hurry

entraver to clog

entre between, among; — **nous** just between ourselves

entre-bâiller to half-open

entre-croisement *m.* intersection

entre-cuisse *m.* space between the thighs

entrelacer to interlace

entremêlement *m.* intermixture

entrer to enter

entretenir to maintain

envahir to invade

envelopper to envelop, enfold

envers: à l'—, on the wrong side, upside down; crackbrained

envie *f.* desire, longing; **avoir — de** to want to, feel like; **passer son — de quelque chose** to satisfy one's longing for something

environ about

s'envoler to fly away, disappear

envoyer to send

épais thick, dense

épaisseur *f.* thickness, density

épaissir to thicken; make thicker

épandre to shed; spread

s'épanouir to expand; brighten up

éparpillement *m.* dispersion

éparpiller to scatter, spread

éparvière *f.* hawk-weed (*Prov.*)

épaule *f.* shoulder

épave *f.* wreck; stray; flotsam

épée *f.* sword

éperdu distracted, bewildered

épi *m.* beam

épicière *f.* grocer

épier to watch, spy upon

épine *f.* thorn

épineux thorny, prickly

épingle *f.* pin

époque *f.* period, time

épouvantable frightful, dreadful, appalling

éprouver to feel

s'épuiser to be exhausted

équilibre *m.* equilibrium, balance

équiper to equip, fit out

ermitage *m.* hermitage

errer to wander, roam

erreur *f.* mistake, blunder

escabeau *m.* stool

escabelle *f.* stool

escalier *m.* stairs, staircase; **en —**, tiered

esclaffade *f.* guffaw

esclaffer to guffaw, laugh noisily

espace *m.* space

espacer to separate

espagnolette *f.* fastener of French window

espèce *f.* kind

espérance *f.* hope

espoir *m.* hope

esprit *m.* spirit, mind, intellect; **— -de-vin** alcohol; **avoir l'— d'escalier** to think of a retort too late

esquiver to slip aside; **s'—**, to escape, give the slip, make off

essayer to try, attempt

essuyer to wipe

est *m.* east

estime *f.* esteem, regard

étable *f.* stable

établir to set up, establish

étage *m.* story, floor

étaler to spread out

été *m.* summer

éteindre to put out; **s'—**, to be extinguished, die out

étendard *m.* banner
étendre to stretch out
étendue *f.* extent, length
éternuement *m.* sneeze
étincelant sparkling, glittering
étincelle *f.* spark
étincellement *m.* scintillation
étiquette *f.* label
étirer to stretch; **s'—**, to stretch one's limbs
étoffe *f.* material, stuff, cloth
étoile *f.* star
étonné surprised; **faire l'—**, to act surprised; **à l'—**, surprised
étonnement *m.* astonishment
étonner to astonish
étouffant sweltering, sultry
étouffer to suffocate, smother, stifle
étourdi giddy
étrange strange, extraordinary
étrangler to strangle, stifle
étreinte *f.* grasp
étrier *m.* stirrup
étriper to gut
étroit narrow, limited
étroitesse *f.* narrowness
étude *f.* study
s'évaporer to evaporate
évasé wide, bell-shaped
éveil *m.*: **en —**, on one's guard, on the watch
éveillé wide-awake
éveiller to awaken, arouse
événement *m.* event, occurrence
éventail *m.* fan
éventrer to rip *or* break open
évidemment obviously
évier *m.* sink
éviter to avoid, evade
évoquer to evoke, conjure up
exaspérer to exasperate
exhalaison *f.* exhalation, vapor
exhaler to send forth, emit

expectative *f.* expectation
expliquer to explain
exprès on purpose

F

face *f.*: **de —**, in front; **en — de** opposite
facétie *f.* jest, joke
se fâcher to get angry
facile easy
façon *f.* manner; **de toute —**, at any rate
fagot *m.* faggot
faiblir to become weak
faïence *f.* crockery, earthenware
faille *f.* Flemish silk
faillir to just miss; be on the point of
faim *f.* hunger; **avoir —**, to be hungry
faire to do, make; go to; manage; say; **— le mignon** to simper; **— le naufragé** to play the role of castaway; **— son paquet** to pack up; **— le tour de** to go around; **— voir** to show; **ç'en était fait** the deed was done; **c'en est fait de** it's all up with; **il fait beau** it's fine weather; **il fait bon** it's comfortable, pleasant; **il fait froid** it's cold; **rien n'y faisait** nothing would do; **cela ne fait rien** that doesn't matter
faisan *m.* pheasant
fait *m.*: **de — que** indeed
faîtage *m.* ridge-piece (*of roof*)
falaise *f.* cliff
falbalas *m.* furbelow
falloir to be necessary; **il ne faut pas** he must not
fameux excellent, first-rate
familier tame

fanal *m.* watch-light, lantern
fane *f.* dead leaf
fantaisie *f.* fantasia
farauder to frolic
fardeau *m.* burden
farine *f.* flour
farouche fierce
fascine *f.* faggot
fatiguer to fatigue, tire
faucher to cut down, mow down
faucille *f.* sickle
faucon *m.* hawk, falcon
faute *f.* fault
fauteuil *m.* armchair
faux false, counterfeit, sham
fayard *m.* beech
femelle *f.* female
femme *f.* woman, wife
se fendre to lunge
fendu split
fénestron *m.* little window (*Prov.*)
fenêtre *f.* window
fer *m.* iron, sword; — **de lance** lance-head; **fil de — barbelé** barbed wire
fer-blanc *m.* tin
ferblanterie *f.* tinware
ferme firm, resolute, solid; firmly; *n.f.* farm, farmhouse
fermer to shut, close
fermier *m.* farmer
ferronnerie *f.* iron-work
ferrure *f.* iron-work
fesse *f.* buttock
fête *f.* festivity, merrymaking; **matin de —**, morning celebration
feu *m.* fire, vivacity; **mettre le —**, to set fire; **j'en mettrais ma main au —**, I'd stake my life on it; **Au —!** Fire!
feuillage *m.* foliage
feuille *f.* leaf

feutre *m.* felt
fiasque *f.* flask
ficelle *f.* string, twine
fichu bad, sorry, pitiful; *n.m.* small shawl
fier proud, intrepid
fièvre *f.* feverishness
fiévreux feverish, restless
fifre *m.* fife
fignoler to do up in style
figue *f.* fig
figuier *m.* fig tree
figure *f.* face, countenance
fil *m.* thread, yarn; edge; **en gros —**, coarse-grained; **— de fer** iron wire **— de fer barbelé** barbed wire; **— de Vierge** gossamer
filer to conduct; go; take oneself off, "beat it"
filetage *m.* bird-netting
fille *f.* daughter, girl
fillette *f.* little girl
fils *m.* son
fin *f.* end; **à la —**, at last
fin delicate; **jouer au plus —**, to finesse, vie in cunning
fine *f.* brandy
finir to finish
fixe fixed
fixer to fix, fasten
flacon *m.* bottle
flageller to scourge, slap; lash with words
flamber to set fire to
flamboyant flaming, flashing
flamme *f.* flame, light
flammèche *f.* flake (*of fire*), spark
flanc *m.* flank, side
flanquer to deal (*a blow*)
flaque *f.* small pool, puddle
flasque limp, flabby
fléau *m.* flail
flèche *f.* arrow

fleur *f.* flower
fleurance *f.* fragrance (*Old French*)
fleurer to exhale
fleurette *f.* little flower
fleuri flowery
flocon *m.* flake
flonflon *m.* fol-de-rol, blare
flot *m.* billow, flood, torrent
flotter to float, drift; waver
foin *m.* hay
foire *f.* fair
fois *f.* time; **à la —** *or* **tout à la —**, at the same time; **des —**, by chance (*pop.*)
folie *f.* madness, lunacy, extravagance
follet playful, frolicsome
fonctionner to work, operate
fond *m.* bottom, back, further end; depth, heart; essence; **au —**, in the main, at bottom, really
fondant melting
fondre to melt, dissolve; **se —**, to dissolve, be merged
fontaine *f.* fountain
force *f.* strength, power, violence; **à — de** by dint of; **à toute —**, by all means
forcément necessarily, inevitably
forcené passionate
forestier sylvan, forest
forêt *f.* forest
forge *f.* forge, bellows
forger to forge
fort strong; very; very much; **le plus —**, what was remarkable
fortement strongly, exceedingly
fosse *f.* grave
fossé *m.* ditch
fou mad, crazy, wild; **faire le —**, to play the fool

fouailler to lash, whip
foudroyant terrible; lightning
fouet *m.* whip
fouetter to whip, lash
fouiller to ransack, rummage, probe
fouiner to nose about, ferret
foule *f.* crowd
four *f.* oven
fourche *f.* fork
fourmi *f.* ant
fournée *f.* batch, ovenful
fournir to furnish, supply
fourrage *m.* fodder
fourrageur *m.* forager
fourrer to thrust, stuff
fourrure *f.* fur
foutre to thrust, give; **— le camp** to decamp (*vulgar*)
foyer *m.* hearth; focus; source
fracas *m.* crash
frai *m.* spawn
fraîchement recently
fraîchir to get cool
frais cool, fresh; **de —**, anew; **prendre le —**, to go out for an airing
franc pure, clear, trustworthy
franchement frankly
franchise *f.* sincerity
frange *f.* fringe
frapper to strike, hit, knock
freiner to brake
frêle frail, fragile
frelon *m.* hornet
frémir to quiver, vibrate
frémissement *m.* quivering, trembling, vibration
fréquenter to frequent
frère *m.* brother
fringale *f.* sudden pang of hunger
friser to curl
frisson *m.* shiver, shudder
frissonner to shiver, tremble

froid   cold; **faire —**, to be cold

froissement *m.*   rustling, rumpling

froisser   to rumple, crumple

frôler   to graze, brush past

fromage *m.*   cheese

front *m.*   forehead, brow; **de —**, in front

frotter   to rub, polish, brush; **se —**, to come in contact

fruit *m.*   fruit, offspring

fuir   to flee, escape

fuite *f.*   flight, running away

fulgurant   flashing

fumée *f.*   smoke

fumer   to smoke, reek, steam

fumet *m.*   scent

fumier *m.*   manure, dung

funèbre   funeral, funereal, mournful

funérailles *f. plu.*   obsequies, funeral ceremony

furtivement   furtively, stealthily

fusain *m.*   spindle-tree

fuser   to spread; spurt; dissolve

fusil *m.*   gun

fusiller   to shoot

G

gâcher   to bungle, make a mess of

gâchette *f.*   trigger

gagner   to gain, earn; arrive at, reach

gaîté *f.*: **de — de cœur** with all her heart

galant: un — homme   a man of honor

galbé   curved

gale *f.*   itch, mange

galeux   mangy

galopade *f.*   gallop

galoper   to run on

gambader   to skip, romp, frisk about

garce *f.*   bitch, drab, trollop

garçon *m.*   boy, lad

garde *f.*   guard

garder   to keep, tend

gardien *m.*   guardian, keeper

gare *f.*   railway station

garot *m.*   withers

garrigue *f.*   moor

gars *m.*   lad, young fellow

se gâter   to decay, spoil

gauche   left

géant   giant

geindre   to moan, whine

gémir   to groan, moan, lament

gémissant   moaning, lamenting

gémissement *m.*   groan, moan

gendarmerie *f.*   constabulary

gêné   constrained, uneasy

gêner   to trouble, inconvenience; embarrass, bother; **se —**, to put oneself out, to inconvenience oneself

gêneur *m.*   intruder, spoil-sport

genévrier *m.*   juniper tree

gênoise *f.*   eaves

genou *m.*   knee

genre *m.*   fashion, style

gens *m. plu.*   people

gentilhomme *m.*   nobleman, gentleman

gentiment   prettily, gracefully

gerbe *f.*   sheaf, cluster

geste *m.*   gesture

gesticuler   to gesticulate

gicler   to squirt out

gifle *f.*   slap in the face

gigantesque   gigantic

glace *f.*   ice; mirror

glacé   freezing, icy-cold

glacer   to freeze, chill

glacière *f.*   ice-house

glaire *f.* white of egg
glaive *m.* sword, blade
glauque glaucous, pale sea-green
glissant slippery
glissement *m.* sliding, gliding
glisser to slip, slide, glide
globe *m.* globe, sphere
glouf clucking sound
glousser to cluck
glouton gluttonous, greedy
glu *f.* glue
gluant sticky
gober to swallow
golfe *m.* gulf, bay
gonflé fed up
gonfler to swell, inflate
gorge *f.* throat
gorgée *f.* gulp
gorger to gorge, cram
gosier *m.* throat
gouffre *m.* gulf, abyss
goulée *f.* big mouthful (*slang*)
goulot *m.* neck (*of a bottle*)
goulu gluttonous, greedy
goulûment gluttonously
goupiller to pin, bolt
goût *m.* taste, flavor, smell
goûter to relish, enjoy
goutte *f.* drop, drop of liquor
gouttière *f.* gutter (*of a roof*)
grâce *f.* thanks
grade *m.* grade, rank
graine *f.* seed
graisse *f.* fat, grease, lard
graisser to grease, make greasy
grand great, large, big, tall, wide; **à —'peine** with great difficulty
grand'chose great value, much of anything
grandir to grow big *or* up
grand-père *m.* grandfather
grange *f.* barn

grangette *f.* little barn
grappe *f.* cluster
gras thick; slippery; *n. m.* deep part
gratté *m.* scratching
gratter to scratch
gravats *m. plu.* rubble, rubbish
grave serious
graver to engrave, imprint
gravier *m.* gravel, grit
gravir to climb, clamber up
gré *m.* liking, pleasure; consent; **de son —**, of one's own free will; **bon — mal —**, willy-nilly
greffier *m.* clerk of the court
grêle slender, slim; *n. f.* hail
grêler to hail
grelot *m.* small bell
grenade *f.* pomegranate
grenier *m.* loft, hayloft; attic; granary
grésillant chirping, twittering
grésillement *m.* crackling
grésiller to patter, sputter
griffe *f.* claw, clutches
griffer to claw, scratch
grignoter to nibble, gnaw
grignotis *m.* nibbling, gnawing
gril *m.* gridiron, grill
grillage *m.* wire lattice
grillager to lattice, grate
grille *f.* grating, grill
grillon *m.* cricket
grimper to climb, clamber up
grincement *m.* grating
grincer to grate
gris gray
grive *f.* thrush
grogner to growl, grumble
grondement *m.* rumbling, roar
gronder to scold, buzz
gros big, stout; *n. m.* bulk, mass. weight; **en —**, roughly

grosse *f.*   gross (*twelve dozen*)
grosseur *f.*   size, bulk
grossir   to enlarge, swell
guêpe *f.*   wasp
guère   scarcely, but little
guéridon *m.*   round table
guérison *f.*   recovery, healing
guerre *f.*   war
guette *f.*   lair (*G*)
guetter   to lie in wait for, watch for, waylay, await
gueule *f.*   mouth, jaw, "mug"
gueuler   to bawl, clamor
gueux *m.*   beggar, tramp
guichet *m.*   wicket
guide *f.*   rein
guignol *m.*   Punch, puppet show

H

habiller   to dress, clothe, accoutre
habiter   to inhabit, live in
habitude *f.*   habit, custom; **d'—**, usual; **à l'—**, as usual
habituer   to accustom
hache *f.*   axe
haie *f.*   hedge
haillon *m.*   rag, tatter
haine *f.*   hate
haleine *f.*   breath
haleinée *f.*   gasp
halètement *m.*   panting
haleter   to pant, gasp
halo *m.*   halo
halte *f.*   halt
hanche *f.*   hip
hangar *m.*   shed
hanter   to frequent
harmonieux   harmonious
hasard *m.*   chance; **au —**, pell-mell; **à tout —**, at all events
hasardeux   perilous, daring
hâte *f.*   speed, haste
hausser   to raise, shrug

haut   high, upper, eminent, important; **à —e voix** aloud
hauteur *f.*   height, altitude; **à ma —**, up to me
hé   well! I say!
hébété   dazed
héler   to hail
herbe *f.*   grass
herbeux   grassy, shaggy
hérissé (de)   bristling, covered (with)
se hérisser   to stand on end, bristle up
herser   to harrow
hésiter   to hesitate, waver
hétéroclite   odd, miscellaneous
heure *f.*   hour, o'clock; **tout à l'—**, in a little while, just now
heureusement   luckily
heureux   happy, blissful
heurter   to hit against
hier   yesterday
hilarité *f.*   hilarity, cheerfulness, mirth
hirondelle *f.*   swallow
hirsute   hairy, hirsute
histoire *f.*   story, matter
historier   to embellish, adorn
homme *m.*   man, husband
honnête   respectable, seemly, proper
honnêteté *f.*   honesty
honneur *f.*   honor
honte *f.*   shame
honteux   ashamed, bashful
hoquet *m.*   hiccup
horloge *f.*   clock
horloger *m.*   clock-maker, watchmaker
hors   out of
houle *f.*   swell, wave
houppelande *f.*   great-coat, cloak
huile *f.*   oil
huileux   oily

huis *m.* door
hululer to wail, howl
humain human
humer to inhale, sniff
humeur *f.* humor; **être de bonne —**, to be in good humor
hurlement *m.* howl, roar
hurler to roar, bellow, shriek, scream
hussard *m.* hussar, horseman

I

ici here; **d'— là** before; **jusqu'—**, up to this time
île *f.* island
îlot *m.* islet
s'imaginer to fancy, imagine
imiter to imitate, counterfeit
s'immobiliser to freeze, stand stock still
imprécis unprecise, indefinite
impressionner to move, affect; be impressive
imputrescible incorruptible
inappréciable uncertain
incendie *m.* fire, conflagration
s'incliner to bow, bend
inconscience *f.* unconsciousness
inconscient unconscious
inconsistant soft, yielding
indéfini indefinite, unlimited
indiquer to indicate, show
indocile indocile, unmanageable
indûment unduly
infect foul
infini infinite, boundless
informe shapeless, formless
infusion *f.* tisane
injuste unjust, unfair
inlassablement tirelessly
innombrable innumerable

inonder to overflow, overwhelm
inquiet anxious, uneasy
inscrire to inscribe, set down, register
insolite unusual
installer to install, set up
instituteur *m.* schoolmaster
intenable untenable
interdit abashed, confused
s'intéresser (à) to be interested (in)
intérêt *m.* interest
interroger to question
s'interrompre to interrupt oneself
intime intimate, private
intriguer to interest, puzzle
introduire to thrust in
inventorier to inventory, catalogue
iris *m.* iris
iriser to give all the colors of the rainbow to
irriter to irritate, provoke
ivre drunk, intoxicated
ivresse *f.* intoxication

J

jactance *f.* boasting, bragging
jaillir to gush, burst out
jamais never; ever
jambe *f.* leg
jambon *m.* ham
jaquette *f.* frock, woman's tunic
jardin *m.* garden
jarre *f.* jar
jarret *m.* ham (*of man*)
jaune yellow
javelot *m.* javelin
jet *m.* cast, jet, gush
jeter to hurl, throw, fling away
jeu *m.* game, sport
jeune young

jeunesse *f.* youth
jeunot *m.* youngster
joie *f.* joy
joint joined, added; *n. m.* seam, chink
jointure *f.* joint
jonc *m.* rush
joncher to strew, heap
joue *f.* cheek
jouer to play, gambol, frolic; **faire —**, to make act, put in motion
jouissance *f.* delight, joy
jour *m.* day, daylight; **il fait —**, it is daylight; **petit —**, dawn
journal *m.* newspaper
journée *f.* day
jouvencelle *f.* lass, young girl
joyeusement joyfully
jubiler to exult
jucher to roost, perch
juger to judge
jument *f.* mare
jupe *f.* skirt, frock
jupon *m.* petticoat
jurer to swear
jus *m.* juice
jusque as far as, up to
juste just, right, true; exact, exactly; **tout —**, just barely
justement precisely, exactly
juteux juicy

K

kakatoès *m.* cockatoo
karite *f.* Greek goddess
kilo *m.* kilogram (*2.2055 pounds*)

L

là there; **— - bas** down there; **— - dessous** under there; **— - haut** up there
labour *m.* ploughing, tillage
labourer to dig, rip up
lacet *m.* noose
lâcher to let go, let fly
laine *f.* wool
laisser to leave, let go; permit, let, allow
lait *m.* milk
laiteux milky
laitière *f.* dairy maid
lambeau *m.* shred, fragment
lambris *m.* lining of wall, ceiling
lame *f.* blade; **franc de —**, sharp
lampe *f.* lamp; **— - tempête** storm lantern
lampée *f.* tumblerful, draught, bumper
lamper to toss off (*a bumper*)
lance *f.* lance, spear
lancer to hurl, throw, cast; launch
lande *f.* moor, heath
langouste *f.* lobster
langue *f.* tongue
lapin *m.* rabbit
laquet *m.* lakelet
lard *m.* bacon
large broad, wide, great; **vers le —**, out to sea
largement amply, fully
larme *f.* tear
larve *f.* larva, grub
laurier *m.* laurel; **— - rose** oleander
lavande *f.* lavender
laver to wash
lavoir *m.* wash-house
lécher to lick
leçon *f.* lesson
lecture *f.* reading
léger light, slight
légèreté *f.* lightness
légume *m.* vegetable
lendemain *m.* following day

lent slow; **—ement** slowly
lessive *f.* washing
levant *m.* east; rising sun
lever to raise; **— un beau lièvre** to start something
lèvre *f.* lip
liane *f.* creeper
liard *m.* half-farthing
libérer to liberate, free, discharge
libre free; **— à vous de** you are free to; **—ment** freely
lien *m.* bond, tie, link
lier to tie, bind, link
lieu *m.* place; **au — de** instead of
lièvre *f.* hare
ligne *f.* line, row
linge *f.* linen, rag (of linen)
lire to read
liséré *m.* edge, beginning
lisière *f.* edge, border
lisse sleek
lisser to smooth, polish
lit *m.* bed
literie *f.* bedding
litière *f.* stable-litter
litre *m.* liter (*1.7598 pint*)
littéraire literary
livre *m.* book, account book
local *m.* place, quarters
logis *m.* house, dwelling
logisson *m.* a little house in the country (*G*)
loin far, distant
lointain distant
long long; **à la —ue** in the long run; **de — en large** to and fro, up and down; **le — de** along; **au — de** during
longer to extend along
long-œil *m.* magnifying glass
longtemps long, a long while
longuement for a great while
longueur *f.* length

lot *m.* lot
louer to hire out
loup *m.* wolf
lourd heavy, clumsy
loyauté *f.* loyalty, honesty, fairness
lucarne *f.* dormer window
lueur *f.* glimmer, gleam
luire to shine, glisten
luisant glistening, shining, glossy; *n. m.* gloss
lumière *f.* light
lumineux luminous
lundi *m.* Monday
lune *f.* moon
lunettes *f. pl.* spectacles
lunule *f.* half-moon, crescent
luttable capable of struggle
lutte *f.* struggle
lutter to struggle, contend

M

mâcher to chew, masticate, grind
mâchoire *f.* jaw, jawbone
maçon *m.* mason
magasin *m.* shop
magie *f.* magic
maigre meager, thin, skinny
maigreur *f.* leanness, thinness
maigrir to grow thin
maillot *m.* jersey
main *f.* hand; **sous la —**, at hand; **dans la —**, in our hands
maintenant now
mairie *f.* town hall
mais but; why
maïs *m.* corn
maison *f.* house
maître *m.* master, instructor, teacher
maîtresse leading, head; *n. f.* mistress, proprietress

mal *m.* harm, pain; trouble, difficulty; **faire —,** to hurt, ache

mal badly, ill; **pas —,** not a little; **— que —,** after a fashion, as best you can

malade sick, ill, diseased, sickly

maladie *f.* sickness, ailment

maladroit awkward, clumsy

malaise *m.* uneasiness, discomfort

malaxer to mix, work up

malgré in spite of

malheur *m.* misfortune, calamity

malheureusement unfortunately, unluckily

malheureux unfortunate, unlucky

malice *f.* sly trick, dodge

malin shrewd, clever

malle *f.* trunk

malsain unhealthy

maman *f.* mamma

mamelle *f.* udder

mamelon *m.* knoll

manche *m.* handle; **— à balai** broomstick; *f.* sleeve

manger to eat, consume; **donner à —,** to feed; *n.m.* food, nourishment

mangeur *m.* eater, devourer

manier to handle

manière *f.* manner, way, style

manque *m.* lack

manquer to lack, fail; **il ne manquait plus que cela** that was the last straw; **— de** (+ *infin.*) to just miss

mansarde *f.* dormer

marais *m.* marsh, swamp

marbre *m.* marble, marble-slab

marchand *m.* dealer, merchant

marche *f.* step, stair

marché *m.* market

marcher to walk; *n. m.* gait, pace

marécage *m.* marsh, bog, swamp

marée *f.* tide, flood

marelle *f.* hopscotch

margelle *f.* curb, edge

margoulette *f.* mouth, jaw (*pop.*)

mari *m.* husband

mariage *m.* marriage

marié married; *n. f.* **—e** bride

marin sea; *n. m.* sailor

marmot *m.* little monkey, kid, urchin

marque *f.* mark, trace, sign

marquer to mark

marqueterie *f.* inlaid-work, patchwork

marri grieved

mars *m.* March; Mars

marteau *m.* hammer; "cracked" (*pop.*)

mas *m.* farmhouse

massif *m.* clump (*of trees*), mass (*of mountains*)

mât *m.* mast

matelas *m.* mattress

matériel *m.* equipment, implements

matin *m.* morning

matinée *f.* morning

maudit accursed, cursed

maudrute of Maudru

mauvais bad, evil

méchant ill-natured, spiteful

mèche *f.* wick

méditer to meditate

se méfier to mistrust, distrust

mélanger to mix, mingle, blend

mélasse *f.* molasses; **être dans la —,** to be in the soup (*slang*)

méli-mélo *m.* jumble, hodgepodge

melon d'eau *m.* watermelon

mélopée *f.* chant
membre *m.* limb
même same, even; **quand —,** all the same
mémoire *f.* memory, recollection
mendiant *m.* beggar
mener to lead, drive, conduct
mensonge *m.* lie, fib
mentir to lie
menton *m.* chin
méprisant contemptuous, scornful
mer *f.* sea
merci *m.* thanks
mercier to thank
mère *f.* mother
merveille *f.* marvel; **faire —,** to be very fine
messe *f.* mass
mesure *f.* measure, limit; **à — que** in proportion as
mesuré cautious, moderate
mesurer to measure, calculate
métairie *f.* small farm
métier *m.* trade, craft
mètre *m.* meter *(1.09 yards)*
mettre to put, place; put on, wear; expend, spend; take; **en —,** to work hard; **se — à** to begin to
meugler to bellow
meule *f.* millstone; stack
meurtri bloodshot
meurtrier murderous, deadly
meurtrir to bruise
mi half; **à — - corps** up to the waist; **— - clos** half-closed; **à — - sommeil** half-asleep
miasme *m.* miasma, vapor
miaulement *m.* mewing
midi *m.* noon, midday
miel *m.* honey
mieux better; **aimer —,** to prefer

mignon dainty
milieu *m.* middle, center
mille thousand
millier *m.* thousand
mince thin, slender
minuit *m.* midnight
minuscule small, tiny
mire: ligne de —, line of sight
mirer to have in view; **se —,** to be mirrored
mirobolant wonderful
miroir *m.* mirror
mise *f.* placing; **— en liberté** release
mistral *m.* mistral *(cold northwest wind)*
mitan *m.* middle
mitard *m.* *(prison slang)* solitary confinement
se modeler to pattern oneself
modifier to modify, change
moindre least
moins less; **en —,** minus
mois *m.* month
moisi *m.* mouldiness, mustiness
moisson *m.* harvest, crop
moitié *f.* half; **à —,** half
mol soft, weak
mollement gently, indolently
mollet soft, limp
moment *m.* moment; **du —,** then
monceau *m.* heap, pile
monde *m.* world, people; **tout le —,** everybody
monsieur *m.* gentleman
monstre *m.* monster
monstrueux monstrous, prodigious
montagnard *(of the)* mountain
montagne *f.* mountain
montant rising
montée *f.* acclivity, ascent
monter to ascend, climb; rise; carry or lift up; put together

monticule *m.* hillock, knoll
montre *f.* watch
montrer to show, point out
moquer to ridicule, make fun of; **se — de** make fun of
morceau *m.* bit, piece
mordeur bitter, biting
mordre to bite
moribond *m.* dying man
mors *m.* bit
morsure *f.* bite
mort dead, dead person, corpse; *n. f.* death
mortel deadly
mortier *m.* mortar
mot *m.* word
motte *f.* clod, sod
mou soft, weak, feeble, flabby; **se faire —**, to weaken
mouche *f.* fly
moue: faire la —, to pout
mouiller to wet, moisten
moulin *m.* mill, windmill; **faire le —**, to twirl, whirl
mouliner to wheel
mourir to die
mousse *f.* moss, froth
moussu mossy
moustache *f.* moustache
mouton *m.* sheep
mouvement *m.* stir
moyen *m.* means, way
muet silent; **à la —te** without speaking
mufle *m.* snout
mugir to bellow
mule *f.* she-mule
mulet *m.* he-mule, mule
mur *m.* wall
mûr ripe
murer to immure, wall in *or* up
murette *f.* little wall
mûrier *m.* mulberry tree
mûrir to ripen, mature, bring to completion; redden, flush

muscat *m.* muscat grape, muscadine
museau *m.* muzzle
musette *f.* haversack
musicien musical, melodious; *n. m.* musician
musique *f.* music; band; **— à bouche** mouth-organ
musiquer to make music
mutiler to mutilate
mystère *m.* mystery

N

nager to swim
naissance *f.* birth, beginning
naître to be born
nappe *f.* tablecloth, cover, cloth
narine *f.* nostril
naseau *m.* nostril
nature *f.* nature; **de —**, by nature, naturally
naturellement naturally
naufragé *m.* shipwrecked person
nausée *f.* nausea
navet *m.* turnip
naviguer to navigate, steer
navrer to distress; **avoir le cœur navré** to be broken-hearted
néanmoins nevertheless
négliger to neglect, pass over
neige *f.* snow
nénufar *m.* water lily
néréide *f.* sea-nymph
nerf *m.* nerve, sinew, tendon
nerveusement impatiently
nervosité *f.* nervousness
net clean, spotless
nettement clearly, distinctly
nettoyer to clean, clear
neuf new
névé névé (*consolidated snow*)

nez *m.* nose
niais silly, simpleton
nid *m.* nest
nièce *f.* niece
nigaud silly, foolish
niston *m.* little boy (*Prov.*)
niveau *m.* level
noblesse *f.* nobility
nocturne of night, nocturnal
nœud *m.* knot, hitch
noir black, dark
noirâtre blackish
noix *f.* walnut; — **du poing**
knuckle
nom *m.* name
nommé by name
nonchalamment nonchalantly
nonne *f.* nun
nord *m.* north
notaire *m.* notary
notamment specially, more
particularly
nouer to tie, knot, braid
nourrice *f.* nurse
nourrir to feed
nouveau new, fresh; **de** —,
again
nouvelle *f.* news
nouvellement newly, recently
noyau *m.* stone, seed
noyer to drown
nu naked, bare; — **-pieds**
barefoot
nuage *m.* cloud
nue *f.* cloud
nuit *f.* night; **cette** —, last
night
nuque *f.* nape (*of the neck*)

O

obéir to obey
obliger to oblige, compel, con-
strain
obscurcir to obscure, darken

obstiné obstinate, stubborn
occupé seized
occuper to busy
odeur *f.* odor, scent, aroma,
fragrance
odorant fragrant
œil *m.* eye
œuf *m.* egg
œuvre *f.* work, action, deed
offrir to offer, hold out
oignon *m.* onion
oiseau *m.* bird
olivier *m.* olive tree
ombrage *m.* shade
ombre *f.* shadow
ondulation *f.* undulation
onze eleven
opérer to effect, perform
or but; now; well; *n. m.* gold
orage *m.* storm
ordinaire ordinary; **d'**—,
usually
ordonner to regulate, set in
order
ordre *m.* command, order
orée *f.* border
oreille *f.* ear
oreiller *m.* pillow
s'orienter to take one's bear-
ings, ascertain one's position
orme *m.* elm
orner to adorn, bedeck
orteil *m.* toe, big toe
os *m.* bone
oser to dare
oseraie *f.* osier-bed
osier *m.* water willow
osselet *m.* knucklebone
osseux bony
ou or; — **bien** or else
où where, in which
ouaille *f.* flock
oubli *m.* forgetfulness
oublier to forget
oublieux oblivious, unheeding

ouïr to hear
ours *m.* bear
oursin *m.* sea-urchin
outre *f.* goat-skin, leather bottle; breast, bosom
ouverture *f.* opening
ouvrage *m.* work

P

pacage *m.* pasturage
paillasse *f.* straw-mattress
paille *f.* straw
pain *m.* bread, loaf
paisible quiet, calm
paisiblement peacefully
paix *f.* peace, quiet, calm
palier *m.* landing
palmé webfooted
palper to feel, touch
palpitant palpitating, panting
pan! slap! smack!
panache *m.* plume
pancarte *f.* placard, sign
panérée *f.* basketful
panier *m.* basket
panique *f.* panic
panneau *m.* panel
pansement *m.* dressing, bandage
pantalon *m.* trousers
pantoufle *f.* slipper
pape *m.* Pope
papé *m.* grandfather
papier *m.* paper; — hygiénique toilet paper
paquet *m.* package, bundle, parcel, packet
par by, through
parage *m.* locality
paraître to appear
par-derrière after it
par-dessus over the top
pareil like, similar; such
parent *m.* relative

parenthèse *f.* parenthesis; entre —s parenthetically
parfait perfect
parfois sometimes
parfum *m.* fragrance, odor
parfumer to perfume, sweeten
parier to bet, wager
parler to speak, talk
parmi among
paroi *f.* wall, partition
parole *f.* word
parquer to pen up, enclose
parquet *m.* floor
part *f.* share; **de ma —**, on my behalf; **de toutes —s** on all sides; **à —**, aside from; **quelque —**, somewhere
partager to divide, distribute
parterre *m.* flower bed
parti: en prendre son —, to resign oneself to the inevitable
particulier private, intimate; **en leur —**, privately
partie *f.* part, game; **prendre à —**, to take to task
partir to leave; **à — de** from; **à — de là** beginning with that
partout everywhere, all over
pas *m.* step
passage *m.* passage
passé last
passer to pass, get through; put on; **se —**, to happen, take place
passerelle *f.* footbridge
passionné passionate, impassioned
passionnel due to love
patauger to splash, flounder
pâte *f.* paste, batter; **comme un coq en —**, like pigs in clover
pâté *m.*: **— de maisons** block of houses
patineur *m.* skater

patouiller to splash; paw
patron *m.* master, boss
patrouiller to walk
patte *f.* paw; **à quatre —s** on all fours
pâturage *m.* pasture
pâture *f.* pasture
paume *f.* palm
paupière *f.* eyelid
pauvre poor, wretched
pavé *m.* paving-stone; cobbles, pavement
payer to pay
pays *m.* country, land
peau *f.* skin, hide, rind
péché *m.* sin
pêcheur *m.* fisher, angler
Pégase *m.* Pegasus
peindre to paint
peine *f.* pain, grief, trouble; **à —,** scarcely; **ce n'est pas la —,** it's not worthwhile; **c'est bien la —,** it's well worthwhile
pelage *m.* fur
pelote *f.* ball
se pelotonner to roll oneself up
pencher to incline, bend, lean
pendant during; **— que** while
pendard *m.* rascal, rogue
pendeloque *f.* pendant, shred
pendre to hang, hang up
pendu *m.* one who has been hanged
pendule *f.* clock
pénible painful, laborious
pensée *f.* thought
penser to think, reflect
pente *f.* declivity, slope
pépé *m.* papa, daddy
pépier to chirp
perçant piercing, shrill
percer to pierce
perche *f.* pole
perchoir *m.* roost, perch

perdre to lose
perdrix *m.* partridge
perdu out of the way
perlé pearly, brilliant, delicate
permis *m.* license; **— de chasse** hunting license
pernod *m.* pernod (*absinthe*)
personne *f.* person; **grande —,** adult; *m.* no one; anyone
pertuis *m.* opening
pesant heavy
peser to weigh; lean; push
pétiller to crackle
petit little, small
pétoire *m.* pop-gun
pétrifier to petrify
pétrin *m.* kneading trough
pétrir to knead, mould
pétrole *m.* oil, kerosene
peu little; **— à —,** by degrees, little by little
peuh shucks
peupler to throng
peuplier *m.* poplar
peur *f.* fear, terror
peureux timid
pharmacien *m.* druggist, pharmacist
phrase *f.* sentence
pianotement *m.* strumming
pianoter to strum
picorer to scratch about
pie *f.* magpie
pièce *f.* patch, room; **tout d'une —,** stiff
pied *m.* foot; **prendre le —,** to point (*in hunting*)
pierraille *f.* rubble
pierre *f.* stone
piétinement *m.* stamping
piétiner to stamp, paw, trample
pieu *m.* stake, post
pignon *m.* gable end
pignouf *m.* yokel; "skunk"

piller to pillage, plunder, ransack

pin *m.* pine tree

pincée *f.* pinch; number; series

pinède *f.* pine-forest

pintade *f.* guinea-fowl

pioche *f.* pickaxe

piper to speak, make a sound

pique *f.* pike, spike

piquer to prick, bite

pire worse, worst

pis worst; **tant —**, so much the worse; *n. m.* udder

pissarote *f.* wetness

pisser to make water; give forth, spurt

pistolet *m.* pistol

piteux piteous, pitiable

pitoyable pitiful

placard *m.* cupboard, closet

place *f.* spot, public square; **par —s** in places; **sur —**, on the spot

placer to place, put

plage *f.* beach, shore

plaindre to pity; **se —**, to complain

plainte *f.* lamentation, wail

plaire to please

plaisant amusing

plaisir *m.* pleasure

plan flat; **tout —**, openly; *n. m.* plane

planche *f.* floor; board, plank; shelf

plancher *m.* floor

planer to soar

plantain *m.* plantain

plante *f.* sole (*of the foot*)

planter to plant; set; drive in; set up

plaque *f.* plate; slab; patch; stretch

plat flat; **à —**, evenly, smoothly; *n. m.* dish

platane *f.* plane-tree

plâtre *m.* plaster

plein full; **en —**, entirely; in the middle

pleurer to weep, mourn

pleuvoir to rain

pli *m.* fold, crease; habit

plier to fold; **— bagage** to decamp, pack off

plisser to wrinkle

plomb *m.* lead

plonge *m.* hole

plongeon *m.* plunge

plonger to plunge

ployer to bend

pluie *f.* rain

plume *f.* feather, plume

plus more; no more; **de — en —**, more and more; **non —**, either; **qui — est** what is more; **en — de** in addition to

plutôt rather

pluvier *m.* plover

poche *f.* pocket

poêle *f.* frying-pan; *m.* stove

poids *m.* weight

poigne *f.* grasp, grip

poignée *f.* handful; handle, holder, knob

poignet *m.* wrist

poil *m.* hair

poilu hairy, shaggy

poing *m.* fist, hand

point *m.* point; **au —**, ready; **à —**, in the nick of time

pointe *f.* point, tip; prong; break; dash, flavor; **sur la — du pied** on tiptoe

pointer to point; be shrill

pointu pointed; shrill

poireau *m.* leek

poisson *m.* fish; **— -chien** dogfish; **— -femme** female fish

poitrine *f.* chest, breast, bosom

poivre *m.* pepper

poli polished, glossy

policier *m.* police officer

polir to polish, refine

pomme *f.* apple; **— d'amour** tomato

pompe *f.* pump

pompée *f.*: **— de nez** sniff

pomper to pump; suck up, inhale

pompon *m.* pompon, top-knot; **à lui le —,** he takes the cake

pont *m.* bridge

porc *m.* pig, swine

porcelet *m.* young pig

porche *m.* porch, portal

porte *f.* door, doorway, gate

porté projected

porter to bear, carry; bring

poser to place, set, lay down

posette *f.* halt; **faire la —,** to rest a spell

pot *m.* pot; **— à eau** water jug

potager for vegetables

pouce *m.* thumb

poudre *f.* powder

poudrerizé covered with rice powder

poulailler *m.* hen-roost

poule *f.* hen; **en faire venir la chaire de —,** to make one's flesh creep, to make one shudder

poulette *f.* pullet, young hen

poulie *f.* pulley

poulot my ducky (*fam.*)

pour for, in order to; **le — et le contre** the pros and cons

pourquoi why

pourri rotten

pourrir to rot

pourriture *f.* rot, rottenness

poursuivre to pursue

pourtant however

pourtour *m.* periphery, circumference

pourvu provided

pousser to push, thrust; utter; grow; push on

poussière *f.* dust

poussiéreux dusty

poussin *m.* chick

poutre *m.* beam

pouvoir to be able; **n'en — plus** to be worn out

prairie *f.* meadow

pré *m.* meadow

préau *m.* courtyard

précautionneusement cautiously

précéder to precede

précipité hasty, rapid

précis precise, exact

se préciser to take form, become more precise

se prélasser to loll

premier first

prendre to take, seize; buy; **— par** to go by; **— à partie** to take to task

préoccupé absorbed, preoccupied

préparer to prepare

près near

présager to presage, conjecture, prognosticate

présent present; **à —,** of today

présentement now

pressé eager, in haste

presser to squeeze; hasten, hurry; **se —,** to hurry

prêt ready

preux gallant

prévenir to inform, forewarn

prévoir to foresee, anticipate

principe *m.* principle; **en —,** theoretically

prisonnier *m.* prisoner

priver to deprive

prochain next

prodigieusement prodigiously

produire to produce
profiter to avail oneself, seize the chance
profond deep
profondeur *f.* depth
prolongement *m.* prolongation, extension
promenade *f.* stroll, pleasure trip
promettre to promise
promontoire *m.* promontory, tip, point
prononcer to pronounce, utter, say
propre own; appropriate, suitable; clean, tidy
proprement properly; **à — parler** properly speaking
proue *f.* prow, bow
prune *f.* plum, plum-colored
puant stinking
puanteur *f.* stench
publier to publish
puce *f.* flea; **mettre la — à l'oreille** to make suspicious
puis then, next
puisque since
puissance *f.* power
puits *m.* well
putain *f.* whore, bitch
pute *f.* whore, bitch
putois *m.* polecat, skunk

Q

quai *m.* platform
quand when; **— même** all the same
quarante forty
quart *m.* quarter
quartier *m.* quarter; **— général** headquarters
quasiment almost; as you would say •
quatorze fourteen

quel what; **— qu'il soit** whoever he may be
quelconque whatsoever
quelque some
quelqu'un someone
querelle *f.* quarrel
queue *f.* tail
quiétude *f.* peace, serenity, quietude
quitte free
quitter to leave; **— des yeux** to take one's eyes off
quoi what; **de —,** the wherewithal
quoique although

R

rabaisser to lower, pull down
rabattre to beat *or* press down
râble *m.* back (*of hare or rabbit*)
rabot *m.* plane
racine *f.* root
racler to scrape, clear
raconter to relate, tell
radeau *m.* raft
rafraîchir to refresh; **se —,** to cool, grow cool
rage *f.* rage, fury; passion
raide stiff, firm
raidir to stiffen
raie *f.* streak, stripe
rais *m.* ray
raisin *m.* grape
raison *f.* reason, judgment; argument; **avoir —,** to be right; **en — de** because of
raisonnable rational, sensible
raisonner to reason, consider
râle *m.* water rail
ramasser to pick up
ramener to bring back
rampe *f.* banisters
ramper to creep, crawl

rancune *f.* rancor, grudge

rangée *f.* row

râper to make threadbare; to rasp

râpeux raspy

rapport *m.* analogy, resemblance, connection

se rapprocher to approach

rare rare, rarely

ras low; **au — de** on the surface of, level with

raser to shave

rasoir *m.* razor

rassembler to collect, put together

rassurer to reassure

ratisser to rake, scrape

ravin *m.* ravine, gully

ravine *f.* gully

ravir to charm, delight, enrapture

rayon *m.* radius; shelf

rayonner to glisten, sparkle

rayure *f.* streak

réagir to react

rébarbatif surly

rebord *m.* edge, brim, border

rebrousser: — chemin to turn back

recevoir to receive

réchaud *m.* chafing dish

réchauffer to warm up

recherche *f.* search, quest

récit *m.* story, narrative

réclamer to demand

reclure to confine

reclus *m.* one confined

réclusion *f.* solitary imprisonment

recoin *m.* corner, nook, innermost recess

recoller to glue again

recommencer to begin again

reconnaître to recognize, identify

se recoucher to lie down again

recouvrir to cover, mask

recrudescence *f.* renewed outbreak

rectiligne rectilinear

recul *m.* recoil

reculer to draw back, recoil

reculons: à —, backwards

redemander to ask for again

redevenir to become again

redingote *f.* frock-coat

se redresser to stand erect again

refaire to do again, begin anew, recommence

refendre to split, to saw *or* cut lengthwise

refermer to shut *or* close again

réfléchir to reflect, meditate (*upon*)

reflet *m.* reflection

refouler to drive back

regagner to rejoin, return to

regard *m.* look, glance, gaze

regarder to look *or* gaze at

régime *m.* diet; régime

règle *f.* ruler, rule; **dans la —,** according to strict rule

règlement *m.* regulation

se réhabituer to get accustomed again

reins *m. pl.* loins

reine des prés *f.* goat's beard, meadowsweet

rejoindre to rejoin

relever to raise again, pick up; **se —,** to rise *or* get up again

reliure *f.* binding

remarquer to note, notice

remède *m.* remedy, medicine

remettre to put back; **se —,** to recommence

remise *f.* coach-house

remonter to go up again; pull up; fit up

remous *m.* eddy

remplacer to replace

remplir to fill

remuer to move, shake

renchérir to become more vehement

rencontre *f.* meeting, encounter; **à sa —**, to meet him; **aller à la — de quelqu'un** to go to meet someone

rencontrer to meet, light upon, encounter

rendormir to put to sleep again

rendre to return, restore; **se —**, to yield, surrender; **se — compte** to realize

renifler to sniff

renouveler to renew

rentrer to return

renverser to upset, overturn, throw back

se repaître to feast, indulge (in)

répandre to scatter, pour out

reparaître to reappear

repartir to set out again

repas *m.* meal, repast

répéter to repeat, echo

répit *m.* respite

replier to bend back

répliquer to reply

répondre to answer, reply

réponse *f.* answer, reply

repos *m.* rest; **en —**, at rest; **se tenir en —**, to keep quiet

reposer to rest

repoussant repulsive, loathsome

repousser to push back, repulse

reprendre to recover, take up again, resume, begin again; **se —**, to correct oneself, get hold of oneself again

se représenter to picture to oneself

reprise *f.*: **à diverses —s,** several times

reprocher to reproach

reps *m.* rep (*silk or woolen fabric*)

réputer to repute, deem

résine *f.* resin, rosin

résolu resolute, determined, resolved

résonner to resound, reverberate

respecter to respect

respirer to breathe

resplendissant bright, glittering

ressac *m.* surf, breakers, wavy pattern

ressaut *m.* projection, dip

ressembler to resemble, be like

resserre *f.* storage, storeroom

se resserrer to contract, shrink

ressort *m.* spring

ressortir to go *or* come out again

ressource *f.* resource

restant *m.* remainder, rest

rester to remain, rest

résultat *m.* result

rétablir to re-establish

retenir to hold back, repress, prevent; **se —**, to refrain

retentir to resound, re-echo, ring out

retirer to pull or snatch back; **se —**, to withdraw, retire

retomber to fall back

retour *m.* return; **de —**, returning

retourner to return; **se —**, to turn around

retraite *f.* retreat

retraité *m.* pensioner

rétréci narrow, contracted

se rétrécir to narrow, shrink, contract

retrousser to curl up

retrouver to find again

réunion *f.* gathering

réunir to reunite, join again, assemble

réussir to succeed

rêve *m.* dream

réveiller to awake; **se —**, to wake up

revenir to come back, return

rêver to dream, have daydreams

réverbération *f.* reflection

revêtir to clothe, dress

revivre to live again; **faire —**, to bring to life again

revoir to see again

rez-de-chaussée *m.* ground floor

ricocher to rebound, ricochet

ride *f.* ripple

rideau *m.* curtain

ridelle *f.* light rail (*at side of a cart*)

ridicule ridiculous

rien *m.* nothing; **—que** merely; **cela ne fait —**, that does not matter; **comme si de — n'était** as if nothing was the matter

rigoler to have fun

riposte *f.* parry

rire to laugh, jest; *n. m.* laugh, laughter

risée *f.* laughter; gust

risque *m.* risk

risquer to risk

rivage *m.* shore, strand, beach

rivière *f.* river, stream

riz *m.* rice; **poudre de —**, rice powder

roche *f.* rock, boulder

rocher *m.* rock, crag

rocheux stony

roide steep

romancée romanticized

romanesque *m.* romantic things

rompu broken; tired out

rond *m.* round; circle; **— de jambe** putting on airs, strutting

ronde *f.* round, patrol

ronflement *m.* roaring, roar, boom, humming

ronfler to snore

ronger to consume

ronronner to purr

rose pink

roseau *m.* reed; **—x-avoines** oat-reeds

rosée *f.* dew

rosier *m.* rose bush, rose-tree

rosse *f.* worthless person; **faire la —**, to be idle

rot *m.* belch; **faire un —**, to belch

roter to belch

rôtir to roast

rotonde *f.* rotunda

roucouler to coo

roue *f.* wheel

rouge red

rouillé rusty

roulement *m.* roll; rumbling

rouler to roll, beat

roulette *f.* caster

roupilleur *m.* snoozer

roussâtre russet, reddish

route *f.* road

rouvrir to reopen

roux reddish-brown; red-haired; **— muscat** muscadine red

royaume *m.* kingdom

ruban *m.* ribbon

rude tremendous

rue *f.* street

ruelle *f.* lane, alley

ruer to kick; **se —**, to rush, throw oneself

rugir to roar

ruisseau *m.* stream, gutter

ruisseler to stream, run down
ruissellement *m.* streaming
rumeur *f.* clamor, confused noise
ruminer to ruminate, ponder

S

sable *m.* sand
sabot *m.* hoof
sac *m.* sack, bag
saccade *f.* jerk; **par —s** by fits and starts
sacré damned, confounded
sacrément confoundedly
sage well-behaved, virtuous
sagement discreetly
sagesse *f.* wisdom, prudence
saigner to bleed, be blood-red
sain hale, healthy, sound, wholesome
saint holy
saisir to seize; understand
salaud *m.* stinker (*pop.*)
sale dirty
saleté *f.* dirtiness
saligaud *m.* dirty person, stinker
salir to stain, sully, soil
salive *f.* saliva
salle *f.* hall, large room
salon *m.* drawing room
saloperie *f.* beastliness, ribaldry
saluer to greet
salut *m.* greeting
salutaire wholesome, beneficial
salutation *f.* greeting, salute
sang *m.* blood; **se faire du mauvais —,** to fret, worry
sang-froid *m.* coolness, composure
sanglant bloody, bleeding

sanglier *m.* wild boar
sanglot *m.* sob
sans without, but for
santé *f.* health, healthiness
saoul drunk, surfeited
se saouler to get drunk
sapin *m.* fir, fir tree
sapinière *f.* fir grove
sariette *f.* savory
sarment *m.* vine-shoot
satisfaire to satisfy
sauce *f.* gravy
saucisse *f.* sausage, salami
sauf except, save
saulaie *f.* willow grove
saule *m.* willow
saumâtre brackish, briny
saumure *f.* brine
saurisson *m.* herring
saut *m.* leap, jump
sauter to leap, jump, jolt; toss
sauterelle *f.* grasshopper, locust
sautiller to hop, skip
sauvage savage
sauver to save, spare
sauvetage *m.* salvage, rescue
savate *f.* slipper
saveur *f.* savor, flavor, zest
savoir to know, know how to; learn; **à —,** namely, that is to say
savonner to lather
savourer to relish, enjoy
saxe *m.* Dresden figure (*porcelain*)
sceller to fasten
scène *f.* stage
seau *m.* pail, bucket
sec dry
sécher to dry, dry up
sécheresse *f.* drought
séchoir *m.* drying-room
secouée *f.* shaking, jolting

secouer to shake
secours *m.* help, aid
secousse *f.* jerk, jolt
seigneur *m.* lord
sein *m.* breast
sel *m.* salt
selle *f.* saddle
selon that depends
semailles *f. plu.* sowings
semaine *f.* week
semblable similar; such
semblant *m.* semblance; **faire —**, to pretend
sembler to seem, appear
semelle *f.* sole (*of shoes*)
semer to sow
sens *m.* sense, intelligence; interpretation; way, direction
sensible sensitive, impressionable; perceptible
sentier *m.* path
sentir to feel, smell, savor of
sergent *m.* sergeant; **— chef** top sergeant
sérieux serious; *n. m.* serious business
serpentant winding, meandering
serpentement *m.* winding
serré tight, fast
serrer to press, tighten; put away; **se —**, to grow tighter
serrure *f.* lock
serviette *f.* napkin
servir to serve, assist, serve as; **se — de** to use, help oneself to
seuil *m.* threshold
seul alone, only
seulement only, merely; even
sève *f.* sap
si if, whether; yes
sifflement *m.* hissing, whistling
siffler to hiss, whistle
sifflet *m.* whistle

siffleur *m.* whistler
signe *m.* sign, indication; **faire —**, to beckon
signifier to signify, mean
silencieux silent
sillage *m.* wake
sillon *m.* furrow
silo *m.* silo
singe *m.* monkey
sirop *m.* syrup
sirupeux syrupy
sitôt as soon as
soie *f.* silk
soif *f.* thirst
soigner to nurse, take care of
soin *m.* care
soir *m.* evening
soit agreed; **— que** whether
sol *m.* ground
soleil *m.* sun, sunshine
solide solid, firm, stable; permanent
solitaire solitary, lonely
sombrer to go down, disappear
somme: — toute finally, in short
sommeil *m.* sleep
sommeiller to doze, snooze
somnambule *m.* sleepwalker
son *m.* sound; bran; **tache de —**, freckle
sonder to probe, explore
songer to think
sonner to sound, ring; strike, blow
sonnette *f.* small bell
sonore sonorous
sorcier *m.* sorcerer, magician
sort *m.* fate, destiny
sorte *f.* sort, kind
sortie *f.* exit, way out
sortir to come out; take out, pull out
sou *m.* copper, penny

soubresaut *m.* sudden leap, jolt
souche *f.* stump
souci *m.* care, trouble, anxiety
se soucier to care, be concerned
soucieux anxious, pensive
soudain sudden; suddenly
souffle *m.* breath, breathing, puff
souffler to blow; breathe, pant; recover the breath; whisper; blow out
souffleter to slap
souffrance *f.* suffering
souffrir to suffer
soufre *m.* sulphur
soufrer to sulphur
souillarde *f.* rinsing-room
soulagement *m.* relief, solace
soulager to relieve, comfort
soulier *m.* shoe
soupçon *m.* suspicion
soupçonner to suspect
soupe *f.* soup, food
souper *m.* supper
soupir *m.* sigh
soupirer to sigh
souple supple
source *f.* spring, fountain
sourcil *m.* eyebrow
sourcilleuse haughty, supercilious
sourd dull, hollow, muffled
sourire to smile; *n. m.* smile
souris *f.* mouse
sournois cunning, sly
sous under; with
soutenir to hold up, support
souvenance *f.* recollection
souvenir *m.* memory
se souvenir to remember
souvent often
spacieux spacious, roomy
sparterie *f.* esparto
spontané spontaneous

suant sweating
subsistance *f.* provisions, supplies
sucer to suck, imbibe
suçoter to keep sucking
sucre *m.* sugar
sucré sweet
sucrer to sweeten, put sugar in
sueur *f.* sweat
suffisant sufficient
suffiser to be sufficient, suffice, be enough
suif *m.* tallow
suint *m.* grease of wool
suintement *m.* oozing
suinter to ooze
suite *f.* rest, sequel; **avoir de la —**, to be consistent; **par la —**, later; **tout de —**, immediately
suivre to follow
supposer to suppose, conjecture
sur on
sûr sure, unerring
surcroît: par —, to boot, in addition
sûreté *f.* safety, sureness
surmonter to surmount
surplus *m.*: **en —**, besides
surprendre to surprise; catch; overhear
sursauter to start up
surtout above all, chiefly
surveiller to inspect, watch, have an eye on
svelte slender

T

tabac *m.* tobacco
tablier *m.* apron
tache *f.* spot, stain, blemish
tâche *f.* task, job
tacher to stain, spot

taille _f._ size, waist, figure; tally-sheet

tailler to cut, hew

se taire to be silent

talon _m._ heel

talus _m._ slope, bank

tambour _m._ drum

tambouriner to drum, tattoo

tant so much; **— pis** so much the worse; **— que** as long as

tante _f._ aunt

tantôt sometimes

taon _m._ gadfly

taper to hit, slap, tap

tapis _m._ carpet; grass-plot

tapisser to carpet; adorn

tapisserie _f._ tapestry, hangings

tapotement _m._ tapping, ticking

tapoter to tap, pat, strum

tarare _m._ winnowing _or_ threshing machine

tard late, at a late hour

tarder to tarry

tartane _f._ tartan

tartine _f._ slice of bread

tas _m._ heap, pile

tasse _f._ cup

se tasser to sink, settle; huddle together

tâter to feel, test

taureau _m._ bull

teindre to dye, color

tel such

tellement so; so much; so many

tempe _f._ temple

temps _m._ time, weather; **dans le —**, formerly; **de — en —**, from time to time

tenant: d'un seul —, all of a piece, in succession

tendance _f._ inclination

tendre tender; _v._ to stretch, spread

tendresse _f._ tenderness

tendu stretched, held-out, taut

tenir to hold; get; keep, possess; **— à** to be attached to; **— bon** to hold out, stick to it; **s'en — à** to abide by

tentacule _m._ tentacle

tenture _f._ hangings, tapestry

terme _m._ end

terne dull, lusterless

terrasse _f._ terrace

terre _f._ earth, land, grounds; **de —**, earthy, clay-colored, pasty; **par —**, on the ground; **— - cuite** terra-cotta

tertre _m._ knoll, hillock

tête _f._ head; brains, sense

tété _m._ suckling

téter to suck, suckle

têtu stubborn

thé _m._ tea

théorie _f._ procession

thym _m._ thyme

tiède lukewarm, tepid

tignasse _f._ mop, shock of hair

tilleul _m._ linden; lime-blossom tea

tinter to ring, tinkle, jingle

tirant _m._ boot-strap; draught

tirer to draw, pull, drag; involve; pull off; shoot, fire

tiroir _m._ drawer

tisane _f._ infusion of herbs, tea

toile _f._ linen, cloth, canvas; **— à sac** sack-cloth

toison _m._ fleece

toit _m._ roof

toiture _f._ roofing

tomate _f._ tomato

tomber to fall; fall away, abate; meet; take off

tombereau _m._ tumbrel

ton _m._ tone, intonation

tonitruant thundering

tonnelle _f._ arbor

tonner to thunder

tonnerre _m._ thunder

tordre to twist; **se —**, to twist, writhe

tors (*f.* **torse** *or* **torte**) twisted, contorted

torse *m.* torso, bust

tort *m.* wrong, injustice; **faire — à** to wrong

tortue *f.* tortoise, turtle

torturer to torture

tôt soon, early

toucher to touch, feel

touffe *f.* tuft, clump

toujours always; still

toupin *m.* little earthen pot (*Prov.*)

tour *f.* tower

tour *m.* turn, circuit, twist; trick; **faire le — de** to go around; **faire demi - —**, to turn back; **à — de bras** with all one's might

tourbillon *m.*: **en —s** whirling

tournant *m.* turn, turning

tourner to turn, turn over, turn out; **se —**, to turn

tournevis *m.* screwdriver

tournure *f.* figure

Toussaint *f.* Hallowe'en, All Saints' Day

tout all, wholly, entirely, quite; **— à fait** quite, entirely; **— à l'heure** just now; in a little while; **— de suite** immediately

toutefois nevertheless, however

toux *f.* cough

traduction *f.* translation

traduire to translate

trafic *m.* trading, dealing

train *m.*: **en — de** in the act of; **mener un — du diable** to blow like mad

traîné *m.* dragging

traînée *f.* trail, track

traîner to drag, drag along; **se —**, to creep, lag

traîneur *m.* puller

train-train *m.* pace, way, manner

traiter to treat, discuss, negotiate

traître treacherous

trame *f.* woof

tranchant *m.* edge

trancher to slice

transmettre to transmit

trappe *f.* trapdoor

trapu squat, thickset, stocky

travail *m.* work, job

travailler to work

travailleur *m.* workman

travers: à —, across; **au —**, through; **en —**, across

traverser to cross

trébucher to stumble, trip

tréfonds *m.* depth, bottom

tremblement *m.* trembling

trembler to tremble, quiver

tremblotant trembling, quivering

se trémousser to flutter or frisk about, bestir oneself

tremper to soak, steep, dip; **— le soupe** pour the soup on the bread

trente thirty

trépignement *m.* stamping

trépigner to stamp, trample upon

triangulaire triangular

tricot *m.* knitting, sweater; **en —**, knitted; **de —**, knitted

tricoter knit

tripe *f.* tripe, entrails

trompe *f.* horn

tronc *m.* trunk

trop too, too much

trottoir *m.* footpath, sidewalk

trou *m.* hole, gap, cavity

trouble cloudy, dim

troubler to disturb, disconcert

trouer to bore, pierce
troupe *f.* herd, flock
troupeau *m.* flock, herd
trousseau *m.* bunch (*of keys*); trousseau
trousser to tuck up, turn up
trouver to find, discover
truc *m.* thing (*pop.*)
truffer to stuff with truffles; to outwit
truie *f.* sow
truite *f.* trout
tuer to kill, be the death of
tuile *f.* tile
tunique *f.* tunic
tutoyer to address (*someone*) as **tu** and **toi** instead of **vous**
tuyau *m.* stem

U

usage *m.*: **à l'— de** adapted for
usé worn-out, threadbare
user to make use, avail oneself, enjoy; wear down; **s'—,** to wear out, wear away
usure *f.* wear

V

vache *f.* cow; **coups en —,** dirty, underhanded blows
vacherie *f.* dirty trick
vague *f.* wave
vaincre to conquer
vainqueur *m.* victor
vaisseau *m.* vessel, structure
val *m.* vale, dale
valet *m.* hireling
valeur *f.* value
vallée *f.* valley
vallon *m.* vale, dale
vanille *f.* vanilla
vantail *m.* leaf of a folding door

se vanter to boast, praise oneself
vapeur *f.* vapor, haze
varice *f.* varicose vein
vautré wallowing, sprawling
veau *m.* calf
veille *f.* eve, day before
velours *m.* velvet; corduroy
vendange *f.* vintage, grape-gathering
vendre to sell
venir to come; **— de** to have just
vent *m.* wind
ventre *m.* belly, abdomen, stomach
ver *m.* worm; **— de terre** earthworm
verdir to grow green
verdure *f.* verdure, greenery, pot-herbs
verger *m.* orchard
vergogne *f.* shame
véritable genuine, real
vérité *f.* truth
vernir to glaze, polish
verre *m.* glass
verrou *m.* bolt
verrouiller to bolt
vers towards
versant *m.* slope, side
verser to pour
vert green, unripe; robust
vertige *m.* vertigo, dizziness
vertigineux dizzy, giddy
veste *f.* jacket
vêtu dressed, clothed
veuve *f.* widow
viande *f.* meat, flesh
victoire *f.* victory
victuaille *f.* provisions
vide empty; *n. m.* emptiness; **à —,** in a void
vider to empty, drain, gut
vie *f.* life

vieillerie *f.* old clothes, rubbish

vieillir to grow old

vierge virgin, pure

vieux old; **mon —**, old chap

vif keen, lively, sharp; bracing; vivid

vigne *f.* vine, vineyard

vigneron *m.* wine-grower

vilain wretched, bad

ville *f.* town, city

vin *m.* wine

vingtaine *f.* score

violemment violently

violet violet, purple

violette *f.* violet

virer to turn

virevolter to circle, spin around

visage *m.* face, countenance

viscosité *f.* viscosity

viser to take aim

vite quickly, soon

vitesse *f.* speed, swiftness

vitrail *m.* stained-glass window

vitre *f.* pane of glass, window

vitré glazed, of glass

vivant living, alive

vivement quickly

vivre to live

vivres *m. plu.* provisions, victuals

vociférateur *m.* clamorer

voguer to sail, scud along

voie *f.* track

voilà behold, there is, there are

voir to see; **faire —**, to show

voisin adjacent, neighboring

voiture *f.* carriage, cart, car

voix *f.* voice; **à — basse** in an undertone; **avoir — au chapitre** to be an interested party

vol *m.* flight

volée *f.*: **à la —**, on the fly, flying; quickly

voler to fly

volet *m.* shutter

voleter to flutter

volettement *m.* flickering

voleur *m.* thief, robber

volontaire obstinate, wilful

volonté *f.* will, desire

volontiers willingly, gladly

voltage *m.* voltage

volupté *f.* voluptuousness, pleasure

vomir to throw up, belch forth, pour out

vouer to dedicate, give up

vouloir *m.* will; *v.* to wish, desire; **qu'est-ce que vous voulez**, what can you expect; **— dire** to mean; **en — à** to be after

voûte *f.* arch, vault

voyager to travel

voyou *m.* rascal

vraiment truly, really

W

wagon *m.* railway carriage

Z

zonzon *m.* a buzzing sound (*Prov.*)